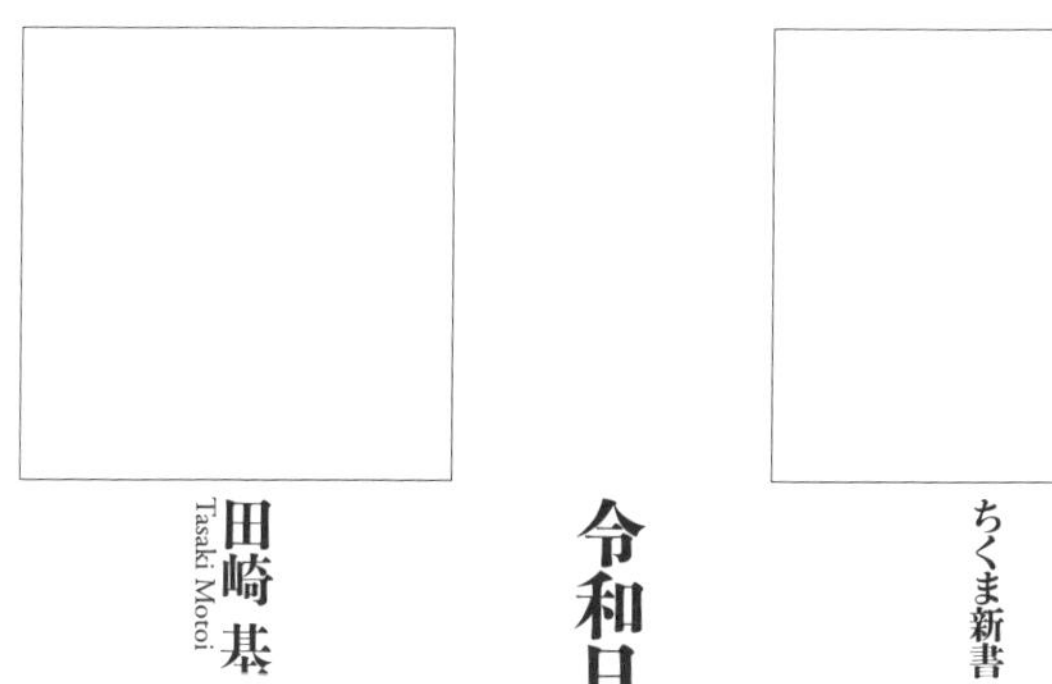

ちくま新書

令和日本の

」と蹂躙の政治を暴く

田崎 基
Tasaki Motoi

1488

はじめに

「景気回復、この道しかない」

二〇一四年一二月の衆議院解散総選挙で自民党が使ったポスターのキャッチコピーだ。安倍晋三首相が、どこか宙の一点に視線を結び、たたずんでいる。政権を奪取して丸二年、絶好調のときに打って出た解散総選挙であった。そして今、第二次安倍政権は八年目へ突入した。「この道」は一体どこへ向かっているのだろうか。

本書では、平成期の三〇年余りを軸に振り返り、二〇一二年一二月以降の安倍政権の振る舞いを分析し、そして令和の日本が歩むであろう未来を見据えてみる。経済、社会、政治の現場で起こっていることを、層を重ねるように追っていくことで何が見えてくるか。

この国は近い将来、戦わずして「敗戦」状態に陥るのではないか。これまでに起きた出来事の一つ一つの点を線で結び、時代を立体的に捉えることで、見えてくる構図。それが令和日本の「戦なき敗戦」である。迫り来るその焦土を、私たちは避けることができるだろうか。

経済格差が拡大し、非正規雇用比率は高まり続け、労働者の超長時間労働が常態化し、実質賃金は下がり続けている。産業は衰退し国際競争力を失い、他の先進国に遅れをとり、差は広がる一方だ。高齢者の孤独死は年間三万人、十代の死因のトップが戦後初めて「自殺」になった。この国の現状は焦土にも等しい、まさにそのとば口にいるのではないか。

直視しなければならないのは「この三〇年間で私たちは確実に貧しくなり」「現在は〝不景気〟である」という現実である。

こうした状況下にあって、七年余りを経た安倍一強の政治はなお「この道しかない」と今だに経済成長を唱導している。

この政権は同時に、米軍との一体的軍事を深化させ、集団的自衛権の一部行使を容認し、それに基づき安全保障関連法制を強行採決した。「権力者の意向に楯突くな」という意思を誇示するかのように、沖縄県の名護市辺野古(へのこ)沖では新基地建設を断行し、市民の声を圧殺している。「表現の自由」や「身体の自由」といった近代国家における大前提である基本的人権、そして民主主義の破壊と蹂躙(じゅうりん)が先鋭的に露出している現場だ。こうした暴走の矛先は、この国に暮らす私たち全ての生活や文化、経済へと確実に向けられている。

いくつもの布石を打ってきた安倍晋三首相はまた、国の最高法規である憲法に「自衛隊」を明記し、緊急事態時に政府の権限を強化しておく「緊急事態条項」を盛り込もうとする改正案を訴え続けている。

ここでいくつかの疑問が生じる。

客観的に起きている現象は不景気であり、私たち多くの市民の生活は貧しくなり、さらには、自由や人権は確実に軽視され踏みつけにされながらも、各種世論調査において安倍政権の支持率が劇的に下がることはない。

また、二〇一六年七月の参議院議員選挙で自公政権が圧勝し、このとき衆院、参院ともに「改憲勢力」が三分の二を超えたとされる。したがって自公政権は改憲を「発議」できたはずだが、改憲論議はいっこうに進んでいない。安倍自民党総裁が改憲項目を四つに絞り込んだのは二〇一七年五月三日だが、自民党はおよそ三年を経た今も衆参それぞれの憲法審査会でこの四項目を示すことさえできていない。

一見矛盾した数々の事象を並べ、全体を俯瞰（ふかん）すると、一つの仮説、構図が浮かび上がる。

五〇％前後という低い投票率、高まる若年層の自民党支持、作り出される周辺国との摩擦と軋轢、圧倒的な少子高齢化、疲弊する経済――。

社会、経済、政治が一体となって、この国は奈落へと向かっているのではないか。それが令和において「戦わずして敗戦する国」の形である。

新聞記者としておよそ一五年。経済や社会、政治について取材してきた。働く人、企業経営者、経済・憲法・政治の研究者、市民運動に取り組む人、国会の内と外、右派団体の集会、新基地建設の現場、この国の為政者たち――。様々な現場へ赴き、人と出会った。

神奈川県を地元とする「神奈川新聞」の記者として一〇年余り取材してきたことから、本書でも取材の現場や人は神奈川県が中心となっている。ただ神奈川は取材の起点に過ぎず、実際の現場は東京・霞が関であり永田町であり、あるいは沖縄・辺野古である。登場人物も神奈川県内の人ばかりではない。大切なことは「どこの誰か」ではなく「何を伝えるか」だ。したがって神奈川県という枠に必ずしもとらわれずに構成されている。

現場からのルポタージュを通して、いまという時代を多面的に捉えながら、この国の未来についての思索を共にしてもらいたい。

令和日本の敗戦——虚構の経済と蹂躙の政治を暴く【目次】

第四章 国家の末期 163

第一章
転落と疲弊の現場

「休憩や仮眠も、すべてこのトラックの中で」と話すトラックドライバー武田豊さん(仮名)

1　超長時間労働がもたらすもの

一九八九年一二月、日経平均株価が史上最高値を付けた。平成の経済はその頂上から転がり落ちるような道を辿り、令和となったいま、働く人の現場は壮絶な長時間労働と増え続ける非正規社員、破綻(はたん)した日本型雇用慣行によって、崩壊寸前にある。

†残業五〇〇時間

首都圏に住む三十代の男性武田豊さん（仮名）は、青白い顔に疲れ切った表情を浮かべ衝撃的な労働時間の内実を明かした。

仕事が始まるのは日曜日の夜、午後一〇時ごろから。はしごをよじ登るようにして乗り込む一〇トントラックを荷主の倉庫の前に着け、車中で月曜の朝を待つ。できるだけ先に並んでおかなければ荷積みの開始が遅れるからだ。未明から神奈川や東京など関東圏にある工場や倉庫を次々と巡り荷物を積み込んでいく。

「すべて積み終えたら東名高速道路を六～八時間かけて関西へ向かう。積んだ荷物を向こうで転々と下ろし、空になると再び荷物を積み込む。関東へ戻ってくるのはだいたい水曜日。下ろして積んでまた関西へ。これを土曜日まで繰り返す。帰宅できるのは土曜日の夜一〇時ごろ。そして日曜日の夜にはまた荷主の倉庫前に列を作って並ぶ……」

関東へ戻ってくる水曜日に一日休みが取れるときもあるが、繁忙期には土曜の休みも消え去ったという。一カ月間の残業時間は五〇〇時間を超えた──。

大型トラックの運転手になって一〇年、関東と関西を行き来し続けてきた。昇給はない。固定の基本給もない。完全歩合制の給与は「運んだ量」で決まる。つまり閑散期には月給が大幅に削られる。手取りが一二万円だったこともあるという。

「これだけ働き続けても、この一〇年手取りが月四〇万円を超えたことはなかった」

小学生の娘二人と妻が家で待つ。しかし平日に帰宅できることはほぼない。「私は「たまに家に帰ってくる人」でした」。異常な独り言、激太り、激やせを繰り返してきた。

正社員としてこの運送会社で働き始めたのは一〇年前だが、その前は、アルバイトで生計を立てていた。

「当時ちょうど法改正があり、運転免許の種別が大型と中型とで、運転できる車の大きさが変わった。そのとき大型免許を取れば一〇トントラックが運転できた」

さして深く考えた就職先ではなかった。

働き始めてすぐ疲れと睡眠不足に襲われ、つらかった。しかし生活のリズムが体に染みつくと「疲れている状態が慢性化し、次第に感覚がおかしくなり、慣れていった」

完全歩合制の給与は、運んだ売り上げの三〇%が基本給となり、そこに手当が付く仕組みだという。だから早く積んで早く下ろすために、深夜未明から荷主の倉庫の前で並ぶようになる。高速道路の利用料金まで給与から天引きされる。節約のために一般道をひた走ることもあった。

「休憩や仮眠はトラックの中で済ませる。倉庫や工場の前で並んでいるときや、コンビニの駐車場、高速道路のサービスエリアで休んでいた」

一日八時間、ひと月に二五日働くと労働時間は単純計算で二〇〇時間となる。これが月間の所定労働時間だ。トラックの中での休息は、仕事から完全に切り離された「休み」ではないため「労働時間」として計算される。実際、トラックに乗り込んでいるため、いつでも運転できる状態を維持し続けていた。

武田さんの場合、繁忙期にはほぼ帰宅できず、「トラックから離れるのは、コンビニで物を買うときやサービスエリアで食事をしたりトイレに行ったりするときくらいだった」

という。三〇日間二四時間働くと七二〇時間になるが、一カ月の総労働時間が七〇〇時間に達したこともあり、「月の残業五〇〇時間」という異常な労働実態となった。

†「働く」ことの意味

「異常な働き方をしている」と自覚したのは、同僚が死亡事故を起こしたことがきっかけだった。「わずかばかりの休日や休憩時間で働き続ければ、注意力が低下することもあるだろう。自分が加害者になる可能性を考えたら、同じことを続けてはいられなかった」

調べてみれば勤務している運送会社は、この一〇年間に三件の死亡事故を起こしていた。

「正さなきゃいけない。それは自分が辞めて済む問題ではない」

一人でも加入できる労働組合に入り、残業代の請求に踏み切った。はっきりしている直近の二年分。それを計算しただけで七〇〇〇万～八〇〇〇万円に上った。

「残業代を請求されるとなれば、天井知らずの働かせ方を改めざるを得ないはずだ」

組合活動を展開しメガホンを手に街頭宣伝に打って出た。荷主である大手の飲料メーカー、その本社ビル前へ街宣カーで乗り付け、繰り返し声を張り上げた。

「あなたたちの会社が運送を委託している〇〇運輸は、不当な長時間労働を強いています。

是正するよう促してください」

昼食の時間を狙う。ビルから働く人が流れ出てくる。何事かと立ち止まり耳を傾ける人もいるが、大半は素通りだ。しかし行動の甲斐あって数カ月後には勤務形態が一変し、毎日帰宅できるようになった。

「もしかしたら、組合に入っていない数多くのトラック運転手にしわ寄せがいくのかもしれない。同僚の中には「働いた分をもらえばいい」と言うドライバーもいる。しかし気付いてもらいたい。本当に「働いた分」の給料をもらっているのだろうか。深夜も早朝も含めて月に七〇〇時間も働いたら、とんでもない残業代を手にするはずなんです」

†低迷の引き金

かつて日本では、年齢や社歴を重ねれば、能力や成果にかかわらず給料が上がっていった。六〇歳の定年まで働き続けることが保障され、各企業には労働組合があった。「年功序列」と「終身雇用」、そして「企業別労働組合」。労働者も企業もこの三つを柱とする「日本型雇用慣行」に支えられ、そして成長を遂げた。

しかし平成に入った直後に起きたバブル崩壊を引き金とする数度の景気後退によって、

この慣行を維持できなくなった。雇用情勢やマクロ経済に詳しい浜銀(はまぎん)総合研究所(横浜市西区)の遠藤裕基主任研究員はこう分析している。

「特に大きなインパクトは、一九九〇年代に起きた「バブル崩壊」とその影響を引きずったまま起きた「国内金融危機」。そして「アジア通貨危機」と「消費増税」が重なった。変調は一九九七年だ」

これより後、企業は採用を抑制し、早期退職を促し、非正規雇用を拡大し始めた。「終身雇用」の崩壊である。人件費を抑制するために、定期昇給だけとなり、昇給ペースが引き上げられる「ベースアップ」は一部の大企業だけのものとなった。景況に合わせて賃金は上がる局面もあったが、それも一時金(ボーナス)に限られ、年収に占めるボーナスの割合が高まっていった。正社員比率は下がり、各企業にあった労働組合も組織率が低くなり存在意義が乏しくなっていった。

結果的に、残った正社員の長時間労働が常態化していった。こうした動きは資金力の乏しい中小・零細企業で先行して始まった。遠藤氏は言う。

「八〇年代の日本型雇用慣行は経済成長における一つの成功モデルだった。正社員としての身分保障があることで若手を現場で育てる仕組みも円滑に機能したし、年功序列賃金は

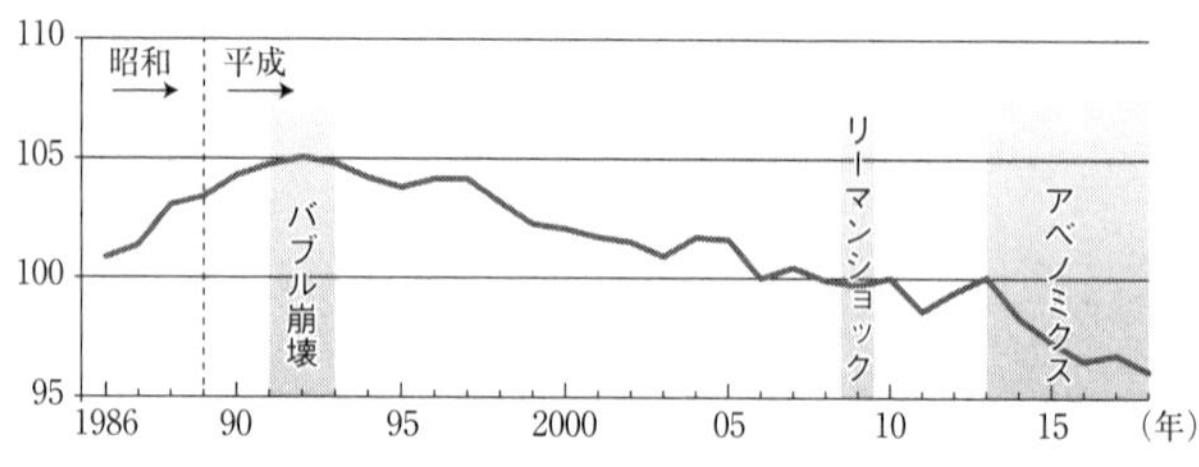

図1－1　実質消費支出指数の推移（1世帯当たり年平均1カ月間の消費支出、勤労者世帯）。総務省統計局家計調査、消費者物価指数から作成。2010年＝100とする

長期勤続を促した」

給与水準の低い若手社員が、高給だが生産性の低いベテラン社員の給与を支えるという一見不条理な構図は、終身雇用によって将来的に賃金が取り戻せるという循環が保証されていたから成立した。「今日より明日の方が確実にい い」「いまは薄給でも働き続ければ確実に取り戻せる。だから共にがんばろう」。そう思って働けた時代だったわけだ。

九〇年代に起きた日本型雇用慣行の崩壊は、労働市場を変質させた。賃金の少ない非正規が増えたため消費を直撃し、長期にわたる経済の低迷を引き起こした。家計の消費支出額に、物価変動の影響を加味した「実質消費支出指数」は、この三〇年近く下落傾向が続く（図1－1）。特にアベノミクス以降は、物価が上昇した影響を受け一気に急落した。

八年目に突入したアベノミクスだが、消費の低迷は深刻で、その成果を見いだすことは難しい。

†三つ掛け持ち

都内に住む七十代の女性大森史子さん（仮名）は、朝六時半から東京都江東区のスーパーで掃除のアルバイトを始める。モップで床を拭き、トイレを磨き、棚のほこりを取る。最後にごみ置き場でネズミの糞(ふん)を片付け、午前一〇時までに終わらせる。午前一一時には東京都新宿区のレストランで四時間の皿洗いを開始。それを終えて午後六時には中央区にある和食店の流し場に立つ。帰宅は午後一一時を過ぎる。

古希を過ぎてのトリプルワーク。「家にいるより、働いている方が気が晴れるのよ」と笑ってみせるが、立ち仕事の連続だ。時給はいずれも一二〇〇円前後という。

四八歳のとき夫を亡くし、生命保険の営業職などを転々とし二人の子どもを育ててきた。トリプルワークの理由を尋ねると「何やかや、お金は要るでしょ」「働けるうちは、働いていたいのよ」と言葉を濁すが、聞けば年金で手にするのは一カ月五万円程度。生活を維持することは容易ではない。

一九四四年に都内で生まれ、戦後の復興期と高度経済成長のさなかを生きてきた。

日本は豊かになったのでしょうか、そう尋ねると、少し考えこう答えた。

「みんな貧しいわよね。若い人も、私たちも」

「豊かさ」とは、なんだろうか。社会は人で支えられているということを忘れてはならない。

†「悪ふざけ動画」は私たちに何を問うのか

コンビニで働くアルバイト店員が店頭の商品であるおでんの具を口に含んで床に吐き出す。店の商品を舌でなめる。回転ずし店の従業員がごみ箱に入れた魚を俎（まないた）に戻す。インターネット上に「悪ふざけ動画」が度々投稿され、企業が謝罪する事態になった。

一人でも加入できる労働組合「プレカリアートユニオン」（東京都渋谷区）の執行委員長、清水直子さんはこうした事態に、この国が抱える構造的な危うさを感じ取っていた。

「心ある大人は「バカなやつらだ」と言って責めているだけではいけない。やっている本人たちは憂さ晴らしかもしれないが、巡り巡って結果的に痛烈な打撃を受けるのは私たちだ。繰り返される愚行は、これまでの国の政策によって生み出されたものだと私は思う」

企業は「コストカット」「人件費削減」と言い続け、政府は企業の求めに応じて非正規雇用の対象職種を拡大させ、今やほぼ無限定となった。

先述の通り年功序列賃金や終身雇用、企業別労働組合といった日本型雇用慣行は崩壊し、安心して働くことのできない社会が横たわっている。

私たちの社会はいつのときも個人のモラルで支えられている。

「漠然とした未来への不安や、不安定な雇用、切り詰められるコストを目の当たりにして「やってらんねえよ」となる気持ちは分からなくない」

仲間を仲間と思えない、同じ社会を構成する同胞のことに思いが至らない。そうした社会で生まれ、育ってきた人に対して「けしからん。モラルはないのか、と怒っても解決できるはずがない」。清水さんはこの構造的な問題を指摘する。

「放っておいたら、人々の心にある倫理観や道徳は脆く崩れていく。例えば買った物が宅配で家に届いたり、店の棚に安全な商品が並んでいたりという、当たり前のことがこれからどんどんズタズタに壊れていくのではないか」

あくなきコストカットと徹底的効率化がこの社会にもたらしているものとは何なのか。「ケチって削り、働く人からかすめ取っていった金は一体どこへいくのか。吸い上げられた利益として、ごくわずかな少数の人の手にわたっているのが現実だ」

プレカリアートユニオンに身を寄せてくる労働問題を抱えた人たちから日々相談を受け、清水さんは思う。

「戦後日本が築き上げてきたものが、この平成期の三〇年間でスカスカになった。社会を構成する大切なインフラが激しく劣化し、いまにも破綻しようとしている」

繁忙期には一カ月の残業時間が五〇〇時間となるトラック運転手。朝六時半から午後一〇時まで、三つのアルバイトやパートを掛け持ちしている七十代の女性。多くの人の過酷な労働によってこの社会はかろうじて支えられている。しかし現場で働く人たちに、豊かさは行きわたっていない。

†「おかしい」ことを「おかしい」と思えなくなる

長時間労働の常態化が「人の考える力」を奪っていると感じる。おかしいことを、おかしいとさえ思えなくなる社会。それは社会全体の活力を奪い、疑問や批判、創造性の芽をも摘んでいるのではないか。

「収入とは別の次元の、人にとってもっと本質的な「幸せや豊かさ」、さらには「正義」をもこの社会から失わせようとしているのではないでしょうか」

†不安定な労働者の「砦」

「不安定な労働者」を意味する「プレカリアート」。プレカリアートユニオンは非正規雇用で働く人も一人でも加入できる労働組合だ。

既存の労働組合の多くがその交渉能力を失っているのであれば、力を取り戻さなければならない。非正規雇用が拡大している中ではなおさらだ。清水さんは言う。

「働く人の力によって待遇を具体的に改善し、環境を向上させられる、という確かな事実を社会に見せることが必要になっている」

プレカリアートユニオンのウェブサイトには、労働問題を抱えた企業の中に作られた「労組支部」が並ぶ。長時間労働を強いる一方で残業代を支払わない会社や、業種や地域といった枠組でも各支部を構成している。団体交渉を拒否する企業には、本社ビル前に街宣車を横付けし、要求を告げる。

労働問題を抱えた企業の本社前で街宣活動をする組合員（2018年２月26日撮影）

こうした行動を動画でネット上に公開することもある。世間の注目を集め、社会問題化させるのが狙いだ。

「企業への街宣というものは普通に行ったら「威力業務妨害」として犯罪になりかねない。しかし労働組合が団体行動として行うことは憲法が保障する労働三権の一つ「団体行動権」として認められている。これを権利として使わない手はない」

「駆け込み寺から、砦へ」。清水さんたちはそう呼び掛けている。残業代の未払いや過剰労働、不合理な左遷や不当労働行為といった問題に直面し、相談に訪れる人は後を絶たない。最初は「駆け込み寺」として労働者を守り、企業と対峙する。問題を解決し、例えば未払い残業代を支払わせたり、過剰労働を是正させたりする。やがて力を付けた労働者は職場で仲間を増やし、支部として労働組合を組織して「砦」となる。

そうした循環で数々の労働争議を率い、成果を勝ち取ってきた清水さんは言う。

「これは社会正義の形の一つだと思う」

2 働き方改革という名の「生産性」至上主義

政府が「働き方改革」を呼び掛け始めて三年余りが経った。成立した関連法は二〇一九年四月から順次施行されている。疲弊する現場と「働き方改革」、その圧力が社会に何をもたらすのか――。実相に迫る。

†「隠れ残業」と偽りの「生産性」

「生産性を高めてください」

都内に住む子育て中の品川くるみさん（仮名）は、正社員の上司との面談で繰り返される言葉に、息の詰まる思いで毎日仕事をこなしている。派遣社員としてウェブ広告の編集の仕事に就いて一年余り。「ため息さえつく暇もなくこなさなくてはならない仕事量を課せられ、忙殺されながら、とにかく片付けていくしかない」と話す。

子どもを学校へ送り出し家事を済ませ、出勤するのは午前一〇時。帰宅後に子どもの世話をするために、午後五時までの勤務という条件で働いている。残業はその都度上司との交渉が必要で、簡単にはできない。多種多様な広告主から受注した案件について文章の編集を担当しているが、正確さや質以上に、「量とスピード」が求められている。それが「生産性を高めよ」という言葉となって突きつけられる。

職場である派遣先の会社が派遣元へ支払っている時給と、その部署の売上額から算出した金額とを対比し、品川さんがこなした仕事の「生産性」が数値で示されるのだという。再三、それを高めろと言われる。数値化することは可能であるし、理屈としては理解できる。だが日々、心は確実に擦り減っていく。

半年ほど前のことだった。担当する広告主からの問い合わせに、急を要する案件もあるため休みの日にも対応した方がいいだろうと考え、上司に提案したところ「お願いします」と言われた。翌月、その分を含めて勤務時間を報告したところ「いまの勤務時間の中でやってもらえると思っていた」と言われたという。

これは、隠れ残業の強要ではないか——。

「こういうときに正面から文句を言える派遣社員はきっと少ない。数カ月ごとに次の更新が決まる関係性の中で、細かいことをうるさく言えばいつ切られるか分からない。黙って続ける人が多いのが現実だと思う」

派遣先の上司の物言いは実にうまかった、と振り返る。メールやメモといった記録には一切残さない。どうとでも受け取れるような曖昧な言い方で、逃げ道を作っていた。品川さんは納得できず、以後通常の勤務時間内に対応することで解決することにした。

いいものを生めない社会

限界量の業務を課せられ、できるだけ速く、そして大量にこなすことが求められる。そうした現場では、「残業」は数字上「生産性の低下」に直結する。「働き方改革」の名の下に、残業時間を減らす圧力が強化され、しかしその本質的な意味は捩じ曲げられたまま「生産性」という言葉に置き換わり、猛威を振るっている。

品川さんは活字の編集が好きでこの仕事に就いている。だが理想と現実は乖離していくばかりだ。

「情報が間違っていたり、真偽のほどが怪しげな文章でも見て見ぬふりをして通していく。

ウラを取る時間的余裕は与えられていないし、危ういからといってその記事を差し止める権限も責任も私にはない。誤りを上司に指摘しても「そのチェックは必要ですか」などと言われ、さらには、「それよりもっと効率を上げてください」と言われる。特にいまインターネット上では、気持ちが悪くなるほどのむちゃくちゃな日本語が氾濫（はんらん）し、不正確な情報が溢れている。私たちの仕事がそうした状況を生んでいるんだと思う」

活字に限った話ではない。ものを生み出す、作り出す「生産」の現場、生産以外でも労働の現場の至る所でこうした出来事が常態化している。効率化を徹底追求することはつまり「生産性」を高めることであり、それは短時間でいかに多くをこなすかという命題に置き換わる。そうした空疎な理念が浸透した結果、この社会はどうなったか。

品川さんはつくづく思う。

「いいものを生み出すということが、本当に難しい世の中になっている」

†残業時間だけ減らせばいいのか？

大手広告代理店電通（東京都港区）の新入社員だった高橋まつりさん（当時二四歳）が自殺したのは二〇一五年一二月二五日のことだった。残業時間が過労死ラインとされる「月八〇時間」を上回り、長時間労働によりうつ病を発症したのが原因と認められ、二〇一六年九月には、労働基準監督署から労働災害認定されるに至った。

この年の八月に政府は「未来への投資を実現する経済対策」を閣議決定する。ここで「働き方改革」という言葉が注目を集める。九月には「働き方改革実現会議」を発足させ二〇一七年三月「実行計画」がまとめられ、これを受けて関連法案が二〇一八年四月に通常国会に提出された。同年七月「働き方改革を推進するための関係法律の整備に関する法律」(働き方改革関連法)成立。既述のとおり、二〇一九年四月から順次施行されている。

この間、厚労省が調査している全産業(従業員数五人以上)の合計時間外労働時間(残業時間)は全体的にはほぼ横ばい、二〇一八年下期からは前年同月を下回る傾向が続いている(「毎月勤労統計」)。確かに残業時間はじわりと減少傾向にある。

しかし労働環境に詳しい識者は「仕事量が減らないのに残業時間だけを減らせば、隠れ残業を生み出し、さらに効率を低下させることになる」と警鐘を鳴らす。「改革の必要性」を正しく理解した対応が求められているのだ。

電通は社員の違法残業を防ぐ措置を怠った労働基準法違反の罪で二〇一七年一〇月に有罪判決が確定した(東京簡裁)。それにもかかわらず、二〇一九年一二月には、労働基準法と労働安全衛生法に違反したとして三田労働基準監督署から同年九月に是正勧告を受けたことが一斉に報じられた。有罪判決確定後もずさんな労務管理を続けていたことになる。

†人手不足が追い打ちをかける

神奈川県藤沢市内のビルメンテナンス会社の経営幹部河田雄治さん（仮名）は、直面する状況の厳しさに頭を抱えていた。

「従業員に「早く帰れ」と言い続けている。二〇一九年四月からは有給休暇を強制的に取らせなければいけなくなった。当然コスト増に直結する」

従業員の大半はアルバイトやパートだ。前月に本人からの希望日を聞きシフトを組む。働き方改革による労働基準法改正では、土日・休日などのもともと休みの日を「有給休暇」として消化したことにする事実上の脱法行為を禁じている。

「だからシフトを組むのが大変になるわけです。現状の人員数でいまの仕事量を切り回すことは難しい。働く側から「なんで休まなければいけないのか」という声まで聞こえてくる。今回の法改正は中小企業にとって使い勝手が非常に悪い。小さい会社のことなんか考えていないのだろう」

二〇一九年四月から大企業で始まった残業時間の上限規制は、二〇二〇年四月から中小企業も対象になる。違反すれば罰則もある。

「どう対応するか。給与体系にも関わる。正社員については毎月一定の残業手当を付けるようなことも考えなければいけない」

河田さんが苦悩しているのは、こうした「労務経費」がかさむ事態が、このわずか一、二年で相次いでいるからだ。二〇一九年一〇月には消費税が引き上げられ、同じタイミングで最低賃金も上がった。神奈川県内では前と比べて二八円引き上げられ、初めて一〇〇〇円を超え一〇一一円となった。

追い打ちをかけるかのように施行された働き方改革関連法。従業員数を増やさなければ対応できそうにないが労働市場は人手不足で、募集をかけても人が集まらない。コスト増の要因はいくつも積み重なるが、その負担増を客の側に転嫁することは難しい。競合他社に仕事を取られるリスクもある。どこまで無理できるか、という闘いになっている。

「このほかにも産業医の面談を受けてもらいメンタルチェックをしなければならないとか、管理職のハラスメント研修だとか、とにかくどんどん大変になっている。アルバイトや契約社員といった非正規雇用を多く抱える中小・零細企業では、対応しきれないところも出てくるのではないか」

　働き方改革関連法によって、使用者側への規制は強化されたと言っていい。

　年一〇日以上の年次有給休暇が与えられた労働者に、五日は確実に取得させることを企業に義務付ける「有給休暇義務化」は二〇一九年四月から全企業が対象になっている。

　二〇二〇年四月から中小企業も対象になる「時間外労働の罰則付き上限規制」は、常態化した長時間労働環境を大きく改善させることになりそうだ。残業時間の上限は原則月四五時間、年間三六〇時間で「臨時的な特別な事情」がなければこれを超えることができない。その特別な事情があり労使が合意している場合でも「年七二〇時間以内、複数月平均八〇時間以内（休日労働を含む）、月一〇〇時間未満（同）」を超えることはできない。違反すれば懲役または罰金という罰則もある。

　こうした規制強化について、労働法制に詳しい日本労働弁護団常任幹事の嶋﨑量（しまさきちから）弁護士は「まだ不十分だが、全体としては労働者にとって有利な法改正だった」と評価している。

　残業時間（所定外労働時間）は景気変動と連動する関係にあるとされ、好景気になると増える傾向にある。だが、政府が働き方改革を呼び掛け始めた二〇一六年下期からはこの傾向に乖離がみられる。つまり企業が景気循環とは無関係に「残業時間削減」に動いていることを見て取ることができる。先に挙げた厚労省「毎月勤労統計」がそれを物語っているのだ。

†「残業減」圧力は「賃下げ」である

では働く人の労働環境は改善しているのだろうか。嶋﨑弁護士は、働き方改革関連法施行以降の状況に警戒感を強めている。

「法改正に関連する労働相談がそもそも少ない。働く側が無関心なのだろう。一方で企業側は「残業時間の削減」に腐心しているように感じる」

単に残業時間を減らす圧力だけを強化しても、やるべき仕事が終わらなければ、隠れ残業やそれによる業務の非効率化を招きかねない。抜本的に業務効率が改善されたり、仕事量が減少しない限り、個々の労働者は仕事を持ち帰って仕上げることになる。これは「サービス残業」より悪質で、使用者側が把握できない労働となる。社外での作業になるため作業効率は低下し、企業にとっても労働者にとってもいいことは一つもない。仕事を外に持ち出すことによって情報が外部に流出するリスクを企業が負うことにもなる。

戦後の経済成長を支えてきた「日本型雇用慣行」は「残業」を前提にした仕事量があり、

給与も残業代含みで成り立ってきた。企業も労働者も双方が残業に依存してきた構図が浮かび上がる。

この労働と賃金の体系全体を見直さなければならない、と嶋﨑弁護士は強調する。

「企業が残業時間の削減によって固定費を減らしているのであれば、それは企業側にとって事実上の賃下げと同じ効果がある。したがって労働者側はその分の賃上げ要求に動かなければならない」

だがそれも「残業代」が支払われているケースに言えることだ。嶋﨑弁護士は指摘する。

「そもそも労働時間を計っていないケースや、残業代をもらっていない人も少なくない。何のための「働き方改革」なのか、企業が真剣に考えなければ意味がない」

3　人口減少時代の企業生存条件

今後一〇年間で、生産年齢人口（一五～六四歳）は約五三〇万人減少し、二〇三〇年には六八七五万人になる。二〇四〇年にはさらに約一〇〇〇万人減少し五九七七万人となる（図1‐2）。つまり、向こう二〇年で生産年齢人口が約二〇%も減少してしまう。それが

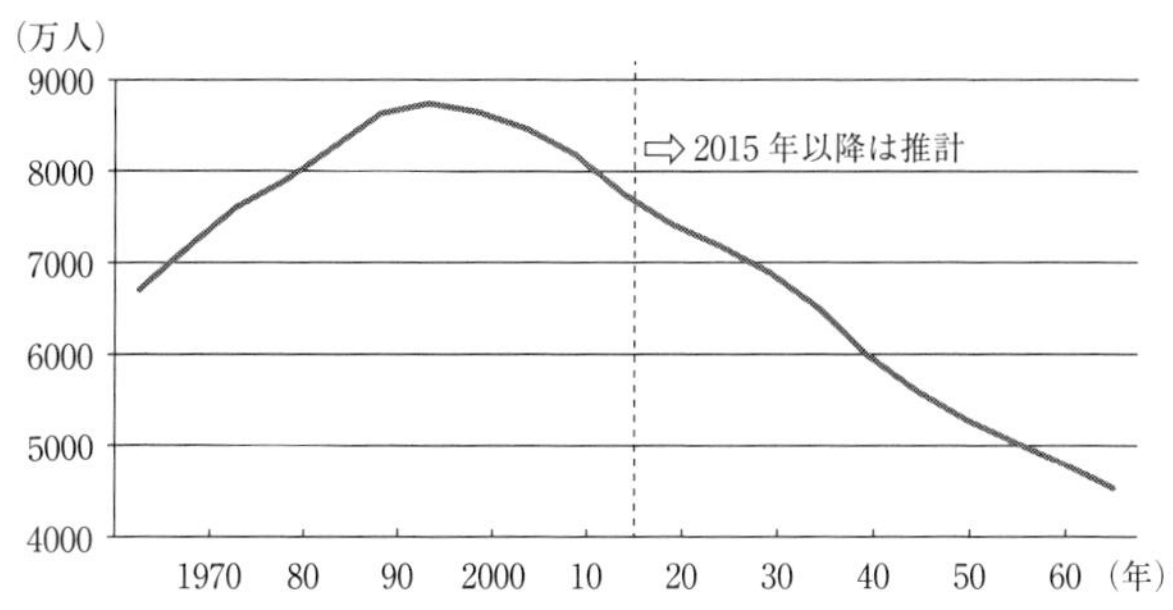

図1－2　生産年齢人口の推移。2015年までは総務省「国勢調査」、「人口推計（各年10月１日現在）」、2016年以降は国立社会保障・人口問題研究所「日本の将来推計人口（平成29年４月）」（出生中位・死亡中位推計）による

日本の避けがたい近未来だ。

†人手不足と働き方改革の必然

「働き方改革」の眼目は、長時間労働の是正や、働きやすい環境の整備もさることながら、この「働き手の減少」への対応にある。生産性を高めなければ現在の産業構造を維持できなくなる。相当なスピードで生産年齢人口が減少することから、後手に回れば産業全体の崩壊を招きかねない。企業が倒産する理由として「人手不足」が増え始めている点については第二章で後述する。

既に市場は人手不足感が深刻な状況となっている。日銀の企業短期経済観測調査（短観）によると、企業の「雇用人員判断ＤＩ」（「過剰」から「不足」を差し引いた数値）は二〇一九年一二月の調査時点で、一九九一年以来の低水準となるマイナス三一となっている。

少子高齢化が進み「働く人」の絶対数が減少し続ける状況下で、企業はいかにして事業を持続するか。それを国家的な視点で置き換えてみれば、いかにして日本経済を成り立たせるか、と同義でもある。

そこで出てきたのが「働き方改革」だった。厚生労働省のパンフレットにはこうある。

〈日本が直面する「少子高齢化に伴う生産年齢人口の減少」、「働く方々のニーズの多様化」などの課題に対応するためには、投資やイノベーションによる生産性向上とともに、就業機会の拡大や意欲・能力を存分に発揮できる環境をつくることが必要です〉

核心は「投資やイノベーションによる生産性向上」にある。単なる「残業時間の削減」や「有給休暇取得の義務化」、安易な「生産性の向上」は目的ですらない。企業はこの点を真剣に考えなければ、中長期的な経営は成り立たなくなるであろう。

†新卒採用二〇二一年問題

これは一〇年、二〇年先の問題ではない。企業経営の人材確保に関して危機的な状況は二〇二一年にやってくる。いわゆる「新卒採用の二〇二一年問題」だ。

二〇一二年ごろから横ばい傾向となっていた「二二歳の人口」が二〇二一年から再び大きく減少に転じるのだ。「二二歳」というのはおおむね大学を卒業する年齢で、企業の多くはこの前後の年齢の人を新卒採用の対象としている。この層が減少傾向に突入し、今後一〇年間で一三七万人も減少する。

前出の浜銀総合研究所・遠藤裕基主任研究員は「二〇二二年三月卒の就職活動時期となる二〇二一年ごろから徐々に採用内定者を確保しにくくなっていくと考えられる」と話す。

若手の人材確保が今以上に難しくなるのは、ほぼ避けがたい状況だ。いかにして若い人材を確保するか。人材・就職情報を手掛けるリクルートキャリアの「就職白書二〇一九」によると、学生が入社予定企業について積極的に情報収集した項目は、「仕事内容」に次いで「労働時間・休日・休暇」が挙げられている。次いで「給与・年収」「勤務地」と続く。内定を辞退した理由でも、「勤務時間・休暇が志望と合わなかった」は、業種や職種、勤務地、給与水準に次いで五番目の理由に挙げられている。

遠藤氏は「長時間労働の是正や働きやすい環境を整えることができた企業だけが、ワークライフバランスを実現できている企業として学生に認知されることになり、人材確保の面で有利になると考えられる」と分析する。

†魅力ある労働環境がなければ生き残れない

残された時間は限られている。企業は「働き方改革」の本質的意味を踏まえた上で、労働環境や給与体系の改革に取り組み、人材確保策を練ることが急務となっている。単なる残業時間の削減にとどまらないワークライフバランスのあり方を構築すること、それに伴った新たな新卒確保策、中途採用の強化などである。

残業時間の削減によって人件費（残業代）が軽減されているのであれば、その分を従業員に還元することが欠かせない。生産性を高めるためには、業務効率を向上させるＩＴ化や、働き方を柔軟にするための在宅勤務の導入なども必要になってくる。働く価値のある企業として認知され、働き手にとって魅力ある労働環境を整えることができなければ、優秀な人材を確保できず、企業競争力をそぎ落としていくことに直結するだろう。

超長期の消費低迷にあえぐ中で、今後いくつもの苦難が企業に押し寄せる。人口全体が減り、特に大卒の人口が数段沈み込む。「働き方改革」の現場では人材確保のために、他社との競争でない、商品力とも異なる、しかし生き残りをかけた企業経営の改革が迫られている。

4　奈落へと突き進んだ平成経済

長時間労働と非正規雇用の拡大、日本型雇用慣行の崩壊によって、崖を転がり落ち続けている日本経済は、なぜ三〇年もの長期にわたり低迷から脱することができないのか。「物が売れない時代」に、戦後以来わが国の産業を牽引してきた製造業はどうなってしまうのか。

†「この国では食えない」――製造業の凋落

「言ってしまえば「この国で食えなくなった」ということ」

神奈川県内に本社を置く自動車部品メーカー。六十代に差し掛かったばかりの経営幹部、佐田彰治（仮名）さんは、日本国内のものづくりの現場が空洞化していった平成期の三〇年間をそう振り返った。いまや売上高のおよそ七割を海外で稼ぐ、世界規模の生産体制へと企業体質を変容させてきた。

入社したのは一九八〇年代初頭。バブル経済が絶頂へ向かう「日本が一番いいとき」の最後を経験した。時を置かずに景気は頭打ち、やがて多くの金融機関で不良債権問題が表面化し、国内の消費は長きにわたる低迷期に入る。

佐田さんは自身の企業人生を振り返るかのように、自社の沿革をまとめた冊子をめくる。九〇年代後半に入り、設備投資が一気に北米へと向かう様が克明に記されていた。

「間髪容れずにどんどん海外に出て行った。主要取引先である完成車メーカーの海外進出を追いかけるようにして、大規模工場を建設していったのです」

生産拠点を消費地に設けることで流通コストを削減できることに加え、低賃金で工場を稼働させられる。さらに海外移転には、為替変動の影響を受けにくくする効果もあった。

北米の次は中国、東南アジア、欧州、インド……。国内の生産工場は新設する場合でも統廃合に限られていった。政府は法人税減税などの税制優遇によって国内投資の減少を食い止めようとしているが、空洞化に歯止めは掛かっていない。「物が売れない時代」の到来である。

家計の貯蓄率（内閣府「国民経済計算」による）は一九九七年をピークとして急減し、二〇一三年にはついにマイナスに突入した。その後回復はしたが、それでも二％前後で推移している。物が売れない時代の到来は自動車の国内販売を直撃していた。

一九九〇年に年間五九七万台（登録車）を記録したのを境に、国内の新車登録（販売）台数は減少に転じた（日本自動車販売協会連合会調べ）。特に一九九七年に消費税率が五％に引き上げられたときの反動減は激しく、一九九八年には四〇〇万台水準まで落ち込み、そして戻ることはなかった。その後もじわりじわりと減り続け、いまやピークのほぼ半分にまで減っている。

佐田さんは眉根を寄せて言う。

「そこそこの大学を出て、そこそこの企業に勤め、車を買って結婚し家を買う。そういう「いい時代」を食いつぶしてきた三〇年間だったのだろう。今や、いい大学を出たからといって生活の保証はまったくない」

†工場はショッピングモールに変貌

世界中で爆発的人気を博した「日産フェアレディZ」が一九六九年に誕生した工場はいま、休日ともなれば家族連れの買い物客でにぎわうショッピングモールに変貌した。

JR東海道線平塚駅からほど近い大型商業施設「ららぽーと湘南平塚」が開業したのは二〇一六年一〇月。かつてこの土地には日産自動車の一大生産拠点「日産車体湘南工場第一地区」（敷地面積約一八・二ヘクタール）があった。

当時を知る古川幸治さん（仮名）は二〇一九年夏に古希を迎えた。

「あの時はね、増産に次ぐ大増産。昼夜稼働し、残業は当たり前。みんなよく働いた。残業代もすごくて、「カネはいいから休みくれ」って笑い合っていた。本当に忙しくて、それでいて現場に活気があったんだ」

フェアレディZが生産されたラインは通称「Zライン」と呼ばれ、愛された。

Zが登場したこの年（一九六九年）、東名高速道路が全線開通し、日本の国内総生産（GDP）は世界第二位につけ、人類は初めて月に降り立った。日本が世界のトップランナーとして走った高度経済成長期である。

バブル経済絶頂期には、高級グレードの「日産シーマ」が発売され（一九八八年）、「シーマ現象」という言葉が生まれるほど一世を風靡（ふうび）した。トヨタが対抗する高級車「セルシオ」を売り出したのは翌年の一九八九（平成元）年のことであった。

栄光の歴史はしかしバブル崩壊とともに暗転する。繁栄の一時代を象徴する「Zライン」が閉鎖されたのは二〇一〇年の暮れのこと。老朽化が進み、維持・更新のコストがかさんでいた。四〇年の歴史に幕を閉じ、工場跡地は大手不動産会社に売却され、いまや買い物客でにぎわうショッピングモール「ららぽーと湘南平塚」となり、周辺の街の様相も一変した。

†製造業は〝焼き畑農業〟

世界に二〇カ所以上の拠点を擁する企業にとって、人材確保の視野は全世界へと広がる。日産自動車の幹部はかつて私にこう語っていた。

「例えば、日本企業で働こうとする中国のエリート大学生が四カ国語前後を話せるのは、それほど珍しくない。では日本の大学生はどうか」

世界で仕事をし、国内外で数多くの人材を見渡してきた、それゆえの実感だった。

「日本の大学生は良くて二カ国語。さらに「家族ができたら日本で働きたい」「給与は……、住宅は……、福利厚生は……」と言い始める。世界で闘っているグローバル企業にとって「日本国内の雇用を維持しろ」と言われても難しい。果たしてそれだけの競争力がこの国にあるのでしょうか」

製造業の多くは、安い賃金の労働者を求めて新興国を転々としていく。そのスピードは年々加速し、一つのモデルとなった。中国、タイ、インドネシア、インドそしてミャンマー、最後に残った巨大市場は人口が急拡大するアフリカ。

「まるで焼き畑農業のようだ、と言われる」と前出の大手自動車部品メーカー幹部の佐田さんは苦笑しつつ話していた。国が発展し、その国が外貨を稼げるようになるにつれ賃金水準は高まる。製造業にとってメリットが薄まれば、競争力を失う前に次の市場開拓に動かねばならない。

「自動車産業は、今は生産拠点を捨てて転々とすることはない。まだ地に足を着けているが、いつまでも続けていられないビジネスモデルであることは間違いない」

たとえばイギリス。二〇一七年には、ホンダが撤退を発表し、日産は高級車「インフィニティ」の製造を中止すると明らかにした。

どのようにしてこの国の産業を維持し、稼いでいくのか。人が生きていくためには、労働、産業、技術、そして金と無縁ではいられない。佐田さんは考えをまとめるように少し間を置くと、こう言った。

「倍の給料を支払うとしても、これを作らずして何を作ると言えるような価値ある商品を創造しなければならない。この国を思うのであればこそ、イノベーション（技術革新）の力をもう一度信じなければならないはずだ」

†奈落へと向かう経済

製造業に象徴されるように、バブル期から平成を通して底から這い上がれずに奈落へと向かう経済は、専門家にも指摘される所だ。光明が見えぬ経済状況に警鐘を鳴らし続けてきた経済学者の金子勝氏（立教大学大学院特任教授・慶應義塾大学名誉教授）は言う。

「バブル崩壊後、九〇年代後半に起きた金融機関の不良債権問題をきちんと処理せずに棚上げしたツケがいまも響いている。日本政府と大企業が、常に責任を取らずに生きながらえてきたことによって構造的に引き起こされている、超長期の低迷に他ならない」

二〇一八年四月一四日、金子氏は国会前の路上に設けられた壇上で、マイクを握って舌鋒(ぜっぽう)鋭く語っていた。

「一人の愛国者として、民主主義者として、国が滅びゆこうとしていることに、途轍もない危惧を覚えている」

このとき森友学園、加計学園を巡る問題で公文書が改竄(かいざん)され、隠蔽され、時の政権にとって都合の悪いデータは隠され、作り替えられているという事実が露見し始めていた。

「こんなことを許したら民主主義社会の根底が壊れてしまう。この社会は崩壊する寸前まできている。私たちは土俵の徳俵(とくだわら)に足をかけていると自覚しなければならない」

核心を衝く言葉だった。

†転落と低迷の三〇年

遠からず金融に激震が走る――。金子氏がその構造的な異変を感じたのは、平成期に入って間もない一九九五年のことだった。

「地方の中小信用金庫がぱたりぱたりと倒産し始めたんです。それが最初に気付いたきっかけでした」

何が起きているんだろうか。東京・丸の内に本店を置く大手銀行の知人を訪ね、訊(き)いた。

「すると、『詳しくは言えないが、地銀や信金が公開している資料の中にある未収利息を調べてみろ』と言われた。有価証券報告書などを探ってみると、信じられないことにその大手銀行だけで数十兆円規模の不良債権が隠されていた。これは大変なことが起きると直感しました。そして背筋が寒くなった」

やがて、多くの経済学者やアナリストが、「戦後の日本経済の転換点」と口をそろえる一九九七年を迎える。その年の一一月三日に、中堅の三洋証券が倒産。同月一七日には都

国会前でマイクを握る金子勝氏（2018年 4 月14日）

市銀行の北海道拓殖銀行が経営破綻した。同月二四日には四大証券の一角だった山一証券が自主廃業を決めた。金融マーケットは雪崩を打つように一気に信用不安に襲われ連鎖的に中小の地銀も倒れ、全国の金融機関の窓口には預金を引き出そうとする客が列をなす異常事態となった。

こうして俯瞰すると、一九八九年（平成元年）一二月二九日の大納会で日経平均が史上最高値をつけたことはバブル絶頂期の象徴的な出来事である。平成時代は、その絶頂に始まり、後の三〇年間は転落と低迷の歴史に他ならない。

この間に破綻した銀行や信用金庫は一八〇を超えるという。なんとか生き残った金融機関も合併や統合を繰り返し、現在の三大メガバンク体制へと集約されていった。

†偽りの景気対策、膨らむ財政赤字

「あのとき、不良債権問題の本質から目を逸らし、政府は景気対策でごまかし、企業もごまかされ続けた。世論は、保守もリベラルも、右も左も、税金である公的資金を金融機関に注入することに対して猛反対したのです」

金子氏は指摘する。

「問題が顕在化した一九九七年以降、金融機関の不良債権を個別的に厳格審査し、民間で処理しきれない部分については公的資金によって根本的に解決していれば、その後日本はV字復活できた可能性があった」

再三主張してきた経済理論に基づく解決策だったが、受け入れられることはなかった。

デンマークやノルウェー、フィンランドといった北欧諸国は九〇年代初頭から、金融機関を国有化するなどして徹底した不良債権処理に取り組み、産業を活性化させ、一つのモデルを形作っていた。だが日本では企業の倒産を回避するために、不良債権の厳格査定（デューデリジェンス）をせず、金融機関を国有化することもなく公的資金をその場しのぎで小規模に逐次投入するにとどまった。

「こうして、本来であれば倒産する企業は生き残り、リストラされるべき産業は再編されなかった。さらに政府は景気対策と言って、財政赤字を膨らませ続けた」

不良債権の本質的問題に正面から向き合わず、目先の利益と生き残りだけを追い求める。都合の悪いことを覆い隠し、抜本的解決を先送りする。

企業、金融機関、政府――。経済を構成する全ての主体が深刻な問題から目を逸らし、見過ごす構造はこうしてできあがった。金子氏は言う。

「不作為。究極の無責任。そして悪いことが起きると「マーケットのせいだ」と言い、誰も責任を取らない。こうした新自由主義の対応が、いまの惨状を生み出している」

†一九九七年を境に、世界の潮流に乗れなくなった

政府は抜本解決というよりも政権の権力基盤を維持するために人気政策にばかり固執し、景気対策という名のばらまきを続けた。バブル崩壊後、経営不振に陥った多くの大企業は「コストカット」に傾注し、イノベーション（技術革新）に注力することをしてこなかった。

戦後の経済成長は、研究開発投資によってイノベーションを起こし、高付加価値商品を生み出すことで成し遂げてきた。「ジャパン・アズ・ナンバーワン」の名をほしいままにしてきた日本企業はその後、衰退の一途をたどることになる。研究開発投資の世界ランキングトップ二〇（PwC strategy&社による二〇一八年「グローバル・イノベーション」調査結果）に、日本企業の名はトヨタ自動車（一一位）とホンダ（一八位）の二社しかない。

スーパーコンピューター、半導体、液晶パネル、太陽光パネル、携帯電話・スマートフォン、音楽プレーヤー、カーナビ……。これまで日本が輸出で稼いできた産業は軒並み世界での競争力を失っていった。

「イノベーションが生まれなくなったのはまさに一九九七年以降。いまとなっては自動車くらいしか世界で闘える産業は残っていない。日本経済の帰趨を決する歴史的分岐点はやはり『九七年』だったのだろう」

この状況下で政府がいま熱心に取り組んでいるのは「周回遅れの産業の救済」だ、と金子氏は切って捨てる。

「原子力発電もリニア高速鉄道も、もう時代遅れ。世界を見渡せば、太陽光や風力といった再生可能エネルギー産業の方が圧倒的に成長している」

歴史を振り返れば、エネルギーが抜本的に転換する時にイノベーションは生まれ、産業構造は一変し、生産性が飛躍的に向上してきた。炎から電気へ、石炭から石油へ、そして太陽光や風力へ。電力を生み出すエネルギーはいま地球規模で大きく変化しようとしている。

不良債権処理の解決を先送りして招いた長期低迷は、こうした世界の大潮流に乗り遅れ、国内における産業構造の転換をも困難にした。

「危ういのは、あのときの失敗を再び繰り返そうとしている点だ」

†耕し、種を蒔くとき

一九九七年の国内金融危機とその後の転落から長期の低迷にあえぎ、それでも政府の景気対策と、企業のコストカット効果でじわじわと回復の兆しを見いだそうとしていた矢先の二〇〇八年。その九月に「一〇〇年に一度」とも言われる世界金融危機「リーマンショック」が日本経済を襲った。

奈落へ突き落とされ、そこからの回復をめざし、アベノミクスという世界的にみても異常な「異次元金融緩和」が七年間続く。がしかし、いまだに景気回復の兆しが見えない。

むしろ、財政・金融政策によって市場は捩じ曲げられ、作り出された円安によって物価は上昇し、実質賃金は下がり続けている。実質賃金が上がらないため、消費はアベノミクス以降冷え込み続けている。金子氏は言う。

「金持ちしか救われない社会が現実のものとなっている。相対的貧困層は拡大し、経済格差が広がっている。しかしそれを批判する野党にも新しいビジョンはない」

　高度経済成長からバブル崩壊、その清算の失敗。平成期の経済をみわたしてきた経済学者は、もの悲しさをにじませ、それでも最後の矜持をもって警鐘を鳴らし続ける。

「現状は、多くの人が理解している以上に深刻だということ。もう、どん詰まりのところまできている」

　荒地を目の当たりにしても人はなお石を拾い、土地を耕す。

「産業の衰退を止めるためにも、イノベーションの種を蒔き始めるしかない」

　政府は政策の眼目に「経済成長」を掲げるのであれば、エネルギー政策の転換に踏み切らなければならないはずだ。

第二章
虚構のアベノミクス

2014年12月、衆議院解散総選挙の自民党政策パンフレットより

1　牽引するはずの不動産・建設業界が苦しい

安倍政権によれば、二〇一三年当初から続くとされる「景気拡大」だが、景況感はピークを越えて下降へと向かいつつある。景気の足元と、経済現象の今に迫っていこう。

†不動産が売れない

神奈川県内の不動産会社幹部河野博さん（仮名）はため息交じりにつぶやいた。

「雨が降ると、傘を奪い取るんですよ」

住宅開発に対しての銀行からの融資が一気に絞られるようになったのは、二〇一八年に入ってからのことだったという。それまでは小規模なアパートやマンション開発への融資はほぼ審査が通った。だが、シェアハウスローンへの巨額の不正融資が発覚した「スルガ銀行問題」（二〇一八年、後述）をきっかけに、一転して金融機関の融資姿勢は硬化した。

「いまでは普通のアパートや建売住宅でも審査が厳しい……」

土地の価格も上昇基調が続いている。利便性の高い駅に近い好立地の土地は「銀行からの融資が付くので手に入れることはできる。しかし、人件費も材料費も上がっていて、販売価格が高額になりすぎて売れない水準になっている」(河野さん)

三重苦。不動産業界からはそんな苦境の悲鳴が漏れ聞こえる。

土地の高騰、建設費の高止まり、金融機関の厳格審査――。

建設現場では働く人が足りず人件費は上がり続けている。神奈川県内の建設会社幹部は「人が足りなくて受注しきれない工事もある。人件費を引き上げているが、それでも人が集まらない」と嘆く。不動産会社にとっては仕入れた土地に建物を建て、住戸を売却し、その資金を当てに次の土地購入資金を確保していく。土地の仕入れが割高で、建設コストがかさみ、そのコスト増は販売価格に直結し、売れ行きが鈍化して在庫がだぶつくという悪循環に陥りつつある。

経済の循環は生命体のように無数の事象によって互いに影響し合い、好況と不況を繰り返している。二〇一三年以降続くとされる「景気拡大」の裏で、行き過ぎや腰折れ状態になる懸念は常に付きまとっている。

†六〇〇〇万円台マンション、即日完売

「景況感のピークアウトは鮮明化してきた」

浜銀総合研究所のアナリスト城浩明上席主任研究員は言い切る。同研究所が四半期ごとに実施している神奈川県内の中小企業に聞いた景況感調査は、二期連続でマイナスとなった。財務省関東財務局・横浜財務事務所による県内企業景気予測調査（景況判断ＢＳＩ）でも、二〇一九年一〇～一二月期のマイナス一三・九からさらに悪化し、二〇二〇年一～三月期はマイナス一七・五と大きく落ち込んでいる。

内需と外需の総崩れか――。一方で、景気のよさそうな話もある。

総戸数一三二〇戸。東急東横線日吉駅から徒歩九分の好立地に建設中の「プラウドシティ日吉」（横浜市港北区）。二〇一八年一二月に先行して一八〇戸を売り出すとほぼ即日完売、この住戸を含む一棟目の三六二戸は、二〇一九年六月で八割超が契約済みとなった絶好調物件だ。

「非常に高い評価を得ている。東京都心部では手に入りにくい３ＬＤＫで七〇平方メートル超という贅沢な広さが好評のようだ」

開発と販売を手がける野村不動産の担当者は胸を張る。日吉駅は二〇二二年度にも相鉄線との相互直通運転が開始され、新幹線の停車駅である新横浜と一本で結ばれる。その徒歩圏内の大規模開発とあって注目を集めていた。先行きについても「戸数は多いが問題ない」（前出の担当者）と強気の姿勢だ。

モデルプランでは3LDK（約七六平方メートル）の間取りで六一九九万円。4LDK（約八三平方メートル）だと七七九九万円となっている。第一期（三六二戸）の平均単価は一坪（三・三平方メートル）当たり二九〇万円。東京都心部では「今や坪四〇〇万、五〇〇万円という物件さえ出てきた」（不動産業界関係者）という高止まりしたマンション相場と比べれば、まだ割安感がある。

ただ、七〇〇〇万円台後半の物件の場合、月々の返済例は頭金約八〇〇万円で借入金額は七〇〇〇万円。三五年ローンを組んだ場合、月々の支払いは一八万円に上る。

†マンション販売戸数が物語るもの

「首都圏の高額化した大規模物件では、即日完売はほぼなくなったが、プラウドシティ日吉の売れ行きは好調だったようだ」

こう解説するのは、マンション市場の動向に詳しい不動産経済研究所の松田忠司主任研究員だ。マンション市場全体をみると、年間供給戸数は二〇一六年を底に回復基調へ向かい、二〇一八年は八万戸を超えた。だがこの拡大基調に急ブレーキがかかった。

同研究所による二〇一九年の首都圏（一都三県）新築マンション発売戸数は前年比一五・九％減の三万一二三八戸で、三年ぶりに前年を下回り、二七年ぶりの低水準となった。一方、一戸当たりの平均価格は一・九％増の五九八〇万円と、バブル期だった一九九〇年に次ぐ高さとなった。

松田氏はこの動きについてこう説明する。

「二〇一八年末にかけて在庫が溜まり、この販売を二〇一九年に入っても続けてきた」

人口の減少は止まらず、同時に働く人の実質賃金は上がっていない。二〇一九年の非正規雇用比率は三八％を超え過去最大となった。数千万円のローンを三五年超の期間で組み、返済を続けられる人々は限りなく減少している。

「一坪三〇〇万円前後という価格の物件となれば、ターゲットは世帯年収一〇〇〇万円以上となる。買える世帯は確実に少なくなっている。例えば夫婦でローンを組めるようなカップルが対象になってくる」（松田氏）

†噂の物件

首都圏を主戦場とするマンション業者の間でその動向が注視されている巨大物件がある。通称「晴海(はるみ)フラッグ」。東京都中央区晴海にある東京五輪の選手村跡地の約一八万平方メートルを住宅開発する計画で、その供給戸数は五六三二戸に上る。計画人口約一万二〇〇〇人の超大規模再開発プロジェクトだ。一四〜一八階建ての高層棟、さらに地上五〇階建てのタワーマンションが二棟建設される。

入居開始は二〇二三年三月だが、二〇一九年七月から第一期の発売が開始された。

「これだけの供給量があると周辺相場への影響は計り知れない」と前出の松田氏はみる。

「東京近郊でマンション購入を考えている人の多くは検討するだろうし、抽選結果を待つなどして買い控えも起きかねない。横浜や川崎の中心部は競争関係に置かれ、売れ行きに影響が出るかもしれない」

晴海フラッグが中小・中堅不動産会社から恐れられているのは国内大手一〇社による共同開発であるという点、そして立地の利便性や景観の割に、周辺相場より割安で供給されるという見立てがあるからだ。前出の松田氏によると一坪平均三〇〇万円を下回ってくる可能性があるという。

東京都心部や横浜、川崎の中心部で発売される新築物件の大半は、割高で購入した土地に、割高な建設費と人件費を投じて建設している物件である。超大規模かつ割安な「晴海フラッグ」は、厳しい対抗物件となる。出足が絶好調だったプラウドシティ日吉も例外ではなく、限られた購入層の奪い合いに晒(さら)される可能性は低くない。

†建設業界への連鎖

神奈川県内のある建設会社幹部の真壁清さん（仮名）は耳を疑った。

「マンション専業の不動産会社が仕入れた土地を転売したという。資金繰りが追いつかなかったのだろうか。民間の不動産業者からの工事発注は、その企業の信用状況を慎重に精査しないと安心して受注できない状況になってきました」

企業経営の舵取りが難しい局面に入ったと話す。

「景気の肌感覚は、二〇一九年に入ってから確実に冷えてきた。結局、いまの景気は足腰の強いものではないということは商売をやっている人なら誰でも分かっている。ちょっとしたきっかけであっという間に再び不景気へと落ち込んでいくのではないか」

内需がおぼつかない状況にあって、世界的には景気後退局面に入りつつあり、総崩れ状態になるという見方は少なくない。

二〇一九年のマンション販売戸数の前年割れは、景気を牽引する建設業界にも暗い先行きを示している。

「民間が腰折れになれば、公共工事に依存していくしかない。果たしてそれは健全な市場環境なのだろうか」

真壁さんの嘆息は深い。官民それぞれの工事発注が、景気の循環に合わせてバランスを取りながら回復していくことが望ましい。浮き沈みの激しい需給環境は雇用にも悪影響を及ぼすからだ。内閣府が二〇二〇年三月九日に発表した二〇一九年一〇〜一二月期の国内総生産（GDP）速報値は、物価変動を除く実質で前期比一・八％減（年率換算七・一％減）となり、一年三カ月ぶりのマイナス成長となった。

†建設業界にも三重苦

建設業界にとって先行きに懸念が広がっている理由は大きく分けて三つある。

一つは、前述したマンション市場をはじめとした不動産市場がピークを迎えつつあるという観測だ。

土地の価格が上がってマンションの売価が高止まりし、業者は在庫の販売に手間取っている。前出の不動産経済研究所の調査によると、二〇一九年の東京二三区内の新築マンション価格は、平均で七二八六万円だった。一九九一年以来の高水準となっている。土地価格の上昇に加え、二〇一八年に発覚した「スルガ銀行問題」を引き金に、アパートローンを使った小規模マンションやアパート建設への投資市場も一気に冷え込んできた。

二つ目は、建設コストの上昇。人手不足を補うために人件費を引き上げ、建設コストが高止まりしている。さらに鋼材価格も上がり一部の建設部品が品薄になるなど、建設需要が縮小に向かう要素は少なくない。

三つ目は、景気そのものの腰折れ懸念だ。前出の建設会社幹部真壁さんは「金融政策一つで金利が少しでも上がれば、資金繰りに窮する関連会社も出てくる可能性がある。かつてのバブル崩壊やリーマンショックの時の連鎖型倒産は、私たちにとって記憶に新しい」と不安を口にする。

足元の景気は悪くない建設業界だが、正社員を増やしたり基本給を引き上げたりすることは難しい。「景気拡大」の実態は薄氷の上にある。

†スルガ銀行問題とアベノミクスは表裏一体

ここ数年、地元の中小建設業者の多くは、小規模な賃貸アパート建設で潤ってきた。金融機関から融資を受けた個人が賃貸アパートを建設し、貸主（アパート経営者）になる。不動産会社は長期の家賃保証を約束し、入居率にかかわらず毎月定額を貸主に支払う。貸主はこれを融資の返済に充てる。この「サブリース」という仕組みを使って二〇一一年以降、アパートローンは急拡大していった。

神奈川県内の金融機関の関係者はこの拡大についてこう解説する。

「当初は、相続税対策の一つでした。元々地域に土地を所有している地主を対象に金融機関が営業攻勢をかけた。現金で相続するより、アパートを建ててそれを相続した方が節税対策になるからでした」

この仕組みの拡大に拍車がかかるのは二〇一三年に入ってからだ。本格始動した「アベノミクス」による金融緩和で、金利が下がっていった。金融機関は利益を確保するために、地主だけでなく、サラリーマンなどの個人投資家向けのアパートローンを急拡大させていったのだ。アベノミクスの詳細については、3節以降で詳しくみていく。

こうした構図の中で二〇一八年四月に巨額の不正融資が発覚したのが「スルガ銀行問題」だった。不動産業者と銀行員が共謀して、貸主となる個人の預金残高を改竄(かいざん)、偽装したり、賃貸物件から得られる想定家賃や入居率を水増しするなどしたりして、一、二億円規模の融資審査を通過させるなど、複数の不正行為が発覚した。

金融庁は二〇一八年一〇月、全国の金融機関にアンケートなどを実施して、投資用不動産向け融資について行き過ぎがないか監視を強めている。金融機関は不動産向けの融資全体について審査を厳格化し、その結果サブリースを使ったアパートローンは急減していった。

†「金が借りやすくなっただけ」の経済に底力はない

建設業界が景気の腰折れ懸念を深めているのには、もう一つの要素がある。いわゆる「五輪需要」の息切れだ。「直接使われる競技場や高速道路、その再整備といった工事はほぼ最終段階に入った。間接的な、観光需要を見込んだホテルや観光施設の建設も期待はあるが、息の長い話ではない。先行きの漠然とした不安は建設業界全体に広がっている」

神奈川県内の別の建設会社幹部も、楽観できる材料はほぼないと嘆く。

「結局は――」言葉を選びながらこうつないだ。「アベノミクスによって金利が下がり、金が借りやすくなっただけ。国内に底堅い実需があるわけではない。景気が腰折れして後退局面に入ったら、今度こそ日本経済は立ち上がれないのではないか」

2　金融機関が麻痺している

景気の動向を直接的に表す分かりやすい二つの指標がある。「企業倒産件数」と「完全失業率」だ。いずれもおよそ一〇年連続で減少が続き、二〇一八年度の企業倒産件数は二八年ぶり、完全失業率は二六年ぶりの低水準となっている。有効求人倍率も約四五年ぶりの高水準で、数字上は「倒産しない」「人手が足りない」という絶好調の活況にあるかのようだ。

実情はしかし「楽観できない」というのが、企業倒産に詳しい信用調査会社の見立てだ。二〇一九年の倒産件数が、一一年ぶりに前年を超えたのだ。変調は顕在化しつつあり、「景気後退局面」は確実に迫っている。現場で何が起きているのか。

†中小企業の息の根

帝国データバンク横浜支店情報部の内藤修部長は二〇一九年六月、変調を実感する倒産案件に出くわした。

「従業員数は一〇人に満たない小規模の神奈川県内の建設会社でした。返済が一度遅れたとたん、翌月に突然、何の連絡もなく口座を凍結されたそうです。軒並み支払いができなくなり、その会社はいきなり倒産に追い込まれました」

返済猶予を繰り返してきた企業ならさておき、たった一度の返済遅延で一企業が息の根を止められるという事態に、内藤氏は「確かに返済が一度遅れているわけですから、融資の契約上は金融機関側に落ち度があるわけではないでしょう。しかしこの数年、金融機関はほぼ一〇〇%の比率で返済猶予の申し出を受け入れるため、結果多くの企業は倒産せずに済んできました。今回も同じようなケースだったはず」と話す。

景気動向の雲行きが危うさを増す中、「金融機関が融資姿勢を一気に硬直化させている可能性がある」と指摘する。

全国の企業倒産件数が低水準で推移してきたのは、二〇〇九年一二月に施行された「中小企業金融円滑化法」による効果が大きい。この臨時措置法は、中小企業や住宅ローンについて、債務者が希望すれば一定期間猶予すること（リスケ）を規定している。二〇一三年三月末に期限を迎え終了したが、金融庁はその後も全国の金融機関に再三、「中小企業・小規模事業者の資金繰りに万全を期す必要がある」と要請を繰り返してきた。

†増え始めた倒産件数

雇用情勢や賃金の推移といった複数の統計数値は決して悪くはない。政府も「緩やかな景気回復が続いている」とする判断を変えていない。それでも日本経済に垂れ込めている暗雲は晴れることがない。

信用調査会社東京商工リサーチの「全国企業倒産状況」によると、リーマンショック後の二〇〇九年から減少を続けてきた倒産件数は、バブル経済絶頂期の一九八八年（七二三四件）に迫る水準で推移してきた（図2-1）。

その倒産件数に変調の兆しが顕在化したのは二〇一九年下期からだ。同年の累計は前年比一・八％増の八三八三件で一一年ぶりに増加に転じた。

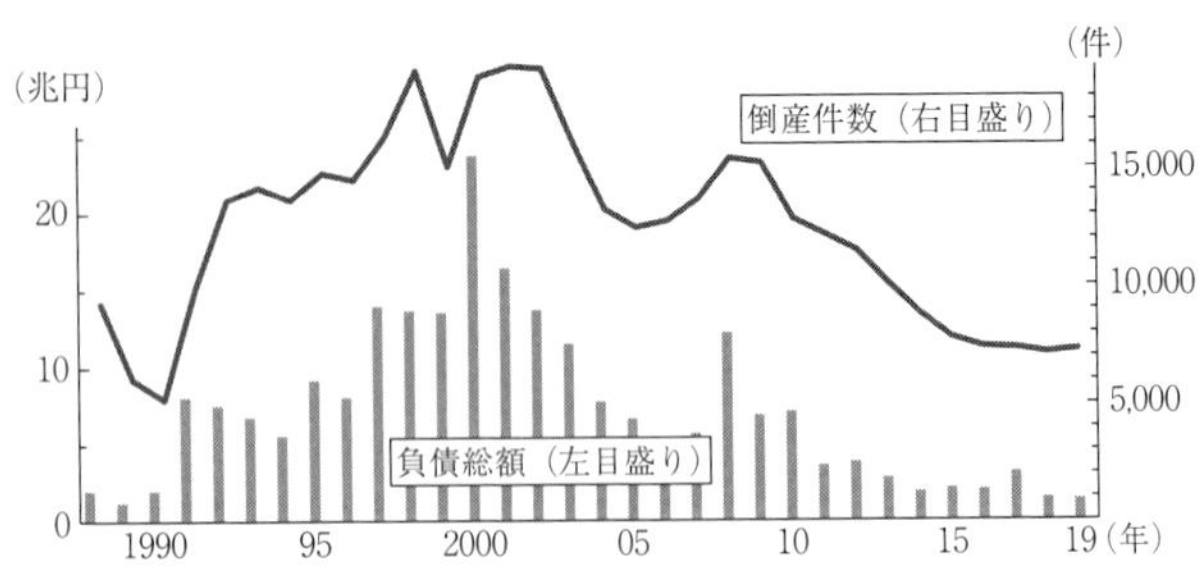

図2-1　全国の倒産件数と負債総額の推移。東京商工リサーチ調べ。負債総額1000万円以上の企業倒産

†「リスケ後倒産」と地銀の構図

「リスケ後倒産が目立ってきました」

東京商工リサーチ横浜支店情報部の森澤章次課長は、日々のリサーチから実感していた。既述したように「リスケ」とは「リスケジュール」の略で、融資した銀行との間で返済時期や利率などの条件を変えることを意味している。当初の条件では返済することが難しくなった企業が、金融機関と交渉し返済猶予を受けるケースが典型的だ。森澤氏が指摘する「リスケ後倒産」とは、こうした「リスケ」を繰り返すことで倒産することなく踏みとどまってきたものの、いよいよ息切れし倒産に追い込まれる事例のことだ。

二〇一九年五月に破産申請した神奈川県内の中小企業もそうであった。

「地元の地方銀行と信用金庫がメインバンクだったのですが、債務超過が続いていた。それでもリスケを続けて倒産せずにやってきた。ここ数年の流れであれば返済猶予によって事業が継続していたのでしょうが……」

地銀を中心に融資姿勢に変化が現れている実例とみることができる。

「地元の銀行が融資を引き上げれば、貸し付けていた別の金融機関も一気に引き始める。そうした動きがちらほら出始めている」と森澤氏は明かす。特にここ数年、大都市圏から遠い地方の銀行が東京都内や神奈川県内の企業へ貸し付けを増やしているケースが少なくない。地元の有力地銀が引くことで信用不安が広がり、一斉に融資を引き上げられ倒産に追い込まれる事例も少なくないという。

†生かすも殺すも金融庁

リーマンショック後から減少を続けてきた倒産件数の背後には、実は金融庁による誘導策が大きく機能してきた。それが「貸付条件の変更等の状況報告」だ。前述した「中小企業金融円滑化法」の施行と同時に二〇〇九年一二月からこの報告とその公表を実施し、国内の金融機関一三二六社に対して「リスケ」に応じた比率を報告させてきたのだ。

報告開始直後にリスケに応じた比率は七六・七％だったのが、翌年の二〇一〇年には九四・八％へと跳ね上がり、以来九七％を超える高水準を維持してきた。

つまりリスケを申請すればほぼ間違いなく認められる、という融資状況だったわけだ。裏を返せば、政府が主導する形で倒産件数が抑え込まれてきたという構図が浮かび上がる。金融機関からすれば監督官庁である金融庁へ報告義務を負っていることから、リスケの申し込みを拒否するには相応の理由が必要になる。

だが、この報告制度が二〇一九年三月で終了した。金融庁は「貸し付け条件の変更（リスケ）が金融機関に定着したから」という趣旨の説明をしている。

信用調査会社のある担当者は「それ以降、金融機関によるリスケ審査は厳格化されている可能性が高い。金融機関が融資姿勢を硬化させるのではないか。多くの金融機関が既に倒産企業の増加に備えている」と明かす。

倒産件数の超低水準は、政府からの誘導策を基に金融機関が融資姿勢を緩め、支援体制を維持してきたから成り立っている。「つっかい棒」のように機能してきた「金融」が緊縮すれば転倒しかねない。それが日本経済の危うい実相でもある。

金融庁は一方で、金融機関の経営体質に警戒の目を光らせてきた。

二〇一三年ごろから「事業性評価に基づく融資の推進」を呼び掛け、二〇一六年からは「日本型金融排除」として担保や保証を過度に重視する「日本型」の融資姿勢からの脱却を促し、企業や事業の将来性（事業性評価）を重視するよう求めてきた（金融庁「金融行政方針」）。

二〇一九年三月をもって、金融機関に対する金融庁からのリスケ圧力は事実上なくなった。企業の将来性を重視した融資審査に舵を切ることは、健全な市場環境を誘導する効果がある一方で、競争力や資金力を欠く中小・零細企業は資金繰りに窮し、倒産企業が急増する可能性は低くない。

†人手不足倒産

産業廃棄物処理を担う企業を経営しているある社長は、日々の経営に苦慮していた。仕事がないわけではない。むしろ発注は多く、こなし切れないほどだ。

では何に汲々としているのか。

「求人を出しても応募がない。本当に人手が足りない」

給料を引き上げれば応募があるのではないかと問うと、「二割引き上げて募集したが、だめだった」と明かす。業況の縮小も考えなければならないところだが、企業が一度広げた事業規模を小さくすることはそう容易ではない。

いわゆる「人手不足」による倒産が増え始めているという。東京商工リサーチによると、二〇一九年は、過去最多となる四二六件（前年比一〇％増）だった。

理由は深刻だ。人口のボリュームが大きい「団塊世代」（一九四七〜四九年生まれ）が既に全員定年退職を経て、再雇用期間をも終える年代に入っている。国立社会保障・人口問題研究所の推計によると一九九五年に八七二六万人でピークを迎えた生産年齢人口（一五〜六四歳）は、二〇二〇年には約一七％減の七四〇五万人となり、さらに一〇年後には七〇〇〇万人を割る見通しだ。

「働く人」の数はかつてないペースで減少していて、今後もその減少傾向に歯止めがかからない。

景気の動向はどうか。二〇一三年から本格始動したアベノミクスによる金融緩和（第一の矢）と、機動的な財政出動（第二の矢）によって、市場にはマネーがあふれている。金融機関からの融資は受けやすくなり、金利も下がり続けた。東京商工リサーチによると、国内一一〇銀行の貸出金残高の合計（二〇一九年九月中間期）は五三九兆六七九九億円（前

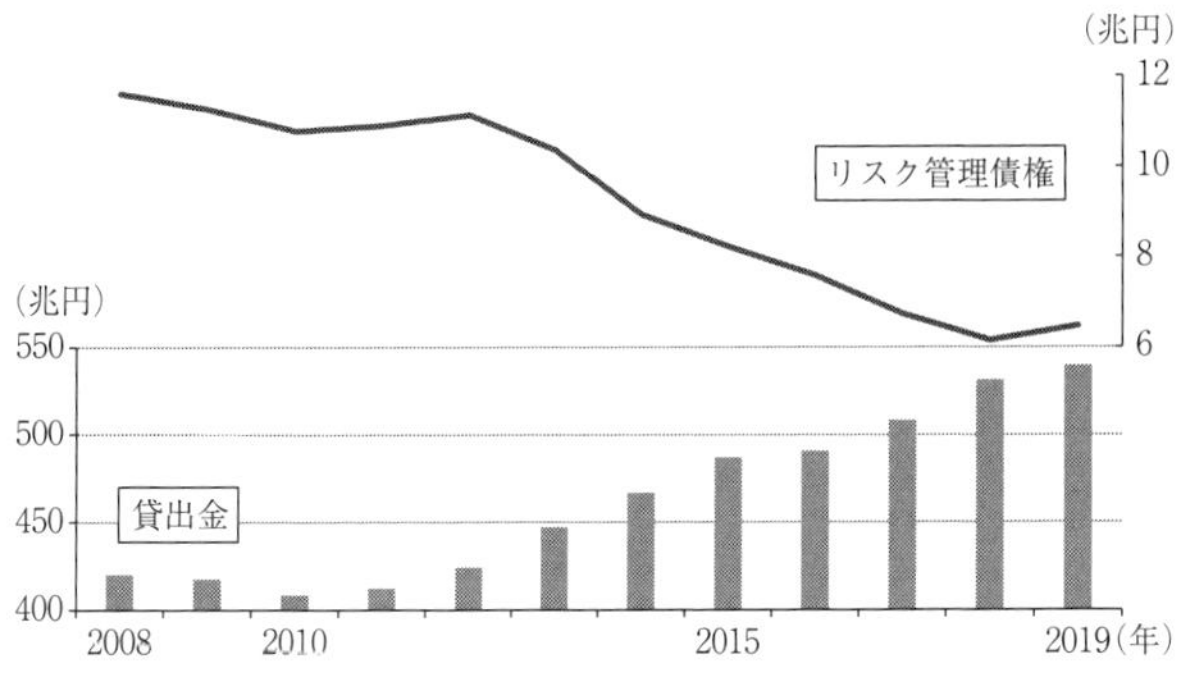

図2－2　国内110銀行の貸出金とリスク管理債権の推移。東京商工リサーチ調べ。19年９月期単独決算から

年同期比一・五％増）で、九年連続で増加を続けている（図2-2）。

公共投資は拡大し、建設工事も増えていった。しかし神奈川県内のある建設会社幹部の表情は浮かない。

「人が足りない。特に現場を支える職人さんがいない。そのため人件費は上がっているし、材料のコストも高まっている。仕事はあるが受注しきれない。これは構造的な問題で、直面しているのは建設業界だけではないはず。外国人に働いてもらって補うという話を政府はしているが、限界があるだろう」

東京商工リサーチによると、「人手不足倒産」を産業別でみると、サービス業他が最多で、建設業がそれに続く。現場で働く人手不足に加え、後継者難によるものも「人手不足倒産」の中では約六割と高い。

†人材難の実態

信用調査会社の帝国データバンク横浜支店の内藤修情報部長が、人材確保難で自己破産申請の準備に入ったケースに出くわしたのは二〇一九年九月のことだった。

エステサロン経営を手がける川崎市内のその企業は、フィットネスクラブの店舗内にエステを併設することで初期投資を抑えて比較的安価なサービス提供を実現し、同業他社との差別化を図って成長していった。全国三〇店舗まで拡大し、設立から七年を経た二〇一四年二月期には売上高一〇億円を突破。だが二〇一七年二月期には営業赤字に陥った。

内藤氏は、破綻に至る経緯を「人手不足が影響した側面が大きかった」と振り返る。積極的に出店を繰り返したものの、それに見合う従業員数を確保できず、店舗によってはエステティシャンが不足し、営業時間を短縮せざるを得ないケースもあったという。

「募集をかけても集まらず、待遇面で競合他社に劣れば今働いている人が転職してしまい、さらに経営を圧迫する。これは産業界全体で起きていることではないか」と警戒している。

†守りに入った地銀

　金融機関が融資先の倒産に備えて積み立てておく「貸倒引当金」は一〇年ぶりに増加に転じた。東京商工リサーチによると、全国一一〇銀行のうち二〇一九年九月期でこの引当金を積み増したのは六三行に上り、その数は前年同期と比べ一・八倍にまで増加した。この数値は二〇〇八年のリーマンショック以降で最多となる。

「潮目が変わった。多くの金融機関が倒産の増加に備える動きを加速させている」と、東京商工リサーチの担当者の見方は厳しい。貸倒引当金について九月中間期ベースで、積み増した銀行数が減らした銀行数を上回ったのは、調査が始められた二〇〇八年以来初めてのことだという。

　さらに将来的に貸し倒れの可能性がある「破綻先債権」や「延滞債権」「三カ月以上延滞債権」「貸出条件緩和債権」を意味する「リスク管理債権」の総額は前年同期比五・一％増の六兆五四〇三億円となり、九月中間期としては七年ぶりに前年同期を上回った（図2-2）。

　増やし続けてきた融資について銀行が厳格に審査し直し、リスク管理債権として位置づけていることをみて取ることができる。

†低金利政策が地銀を蝕む

地銀トップの横浜銀行（本店・横浜市西区）を率いる大矢恭好頭取は語気を強めて言った。

「（当行の）東京都内の企業向け融資については反省もある。神奈川県内に比べ情報が少ない。その中でどう競争に勝つか」

循環取引による粉飾決算が発覚した都内のある企業が二〇一九年九月、破産手続きの開始決定を受けた。帝国データバンクによると、取引企業間で実態を伴わずに商材の売買を繰り返す手法で売上高を水増しし、その業績を基に金融機関からの融資を増やしていったとみられるという。負債総額は約五三億七九六一万円に上る。債権者名簿には関東や関西、四国地方の地銀や信用金庫など二九の金融機関が名を連ねていた。

債権額の大きいその筆頭に横浜銀行の名があった。大矢氏は言う。

「東京はリッチなマーケット。だがそうした（不正な）企業も数多く集まる。事業性を見極めるという本来業務をしっかりやるしかない」

二〇一九年一二月、生保・損保代理事業を展開していた都内のある企業は東京地裁に民事再生法の適用を申請した。不適切会計が発覚し約五億円に上る追徴課税を受け、その後大幅な債務超過であることも判明した。負債総額は約一九六億円に上り、金融債権者は五二社。その大半が地銀で占められていた。債権者名簿の二番目に横浜銀行の名があった。りそな銀行に次いで大きな債権額だ。

リスクを抱えつつも企業集積で群を抜きマネーが集まる東京都内でのビジネスなしに、地銀の事業構造は描けない。攻めの姿勢を崩す選択肢はない。

「この五年ほどで東京都内の企業向け融資は増えてきた。地主向けのアパートローンも、全体の四分の一を占めるほどに成長した。これは大きな成果だ」（大矢氏）

アベノミクスによる金融緩和で銀行には金が集まり、貸出金を拡大させ続けてきた。それでも政策誘導による低金利によって、利益を稼ぎ出すことが難しく、特に大都市圏から遠くに本店を置く地銀は地元での融資だけでは経営を維持するのが困難になりつつある。ここに、地銀が都内の支店での営業を強化し新規融資を増やしてきた構図が浮かび上がる。

地元で稼げないため、リスクを覚悟し東京へ。そうして増やし続けた融資額で低金利環境を生き抜くしかない。政策誘導によって生み出された歪（いびつ）な構図は市場に不均衡をもたらし、地銀の体力を奪い続けている。

底堅い景気回復が感じられない中で倒産件数が低水準で推移してきたのは（図2-1参照）、政策誘導によるところが大きく、果たしてそれは健全な市場原理に基づくのだろうか。

信用調査会社のある担当者は言う。

「倒産は悪いことと受け取られがちだが、経済には新陳代謝が欠かせない。企業が時代の変化に対応し、それぞれが競争力を磨き続けなければ、産業はやがて衰退してしまう。「倒産」という字は、「倒れて、産まれる」と書くんです」

†加速する輸出入額の減少

日本銀行横浜支店の新見明久支店長（当時）は二〇一九年六月の神奈川県内金融経済概況を説明し、「輸出」と「生産」について、手のひらを水平から角度を変えて倒し込みながらこう説明した。

「緩やかな拡大から、横ばいを過ぎ、既に後退局面に入ったということです」

横浜港の輸出は激しく鈍化していた。横浜税関によると「輸出」は六カ月連続の減少。

一方で輸入は二七カ月連続で増加し、過去最大となった。輸出から輸入を差し引いた貿易収支は黒字だったものの、八カ月連続の減少で過去二番目に低い水準にまで下がった。

全国をみると二〇一七年当初から続いた輸出入額の増加傾向が、二〇一八年末から減少に転じている。二〇一九年五月には輸出額は前年同月比でマイナス七・八％、輸入もマイナス一・五％。減速は鮮明になっている。

「特に二〇一九年一～三月の輸入が落ち込んでいる。これは国内需要の落ち込みを反映していると言っていい」

こう話すのは、マクロ経済の動向に詳しい浜銀総合研究所の湯口勉主任研究員だ。内閣府は二〇一九年一～三月期の国内総生産（ＧＤＰ）改定値を年率換算で二・二％増と発表した。プラス成長は二四半期連続だが、この数値について湯口氏は「輸入が落ち込んだことで計算上、成長率が押し上げられただけ」と解説する。輸入額の減少は、その分だけ国内の生産財が使われたと考えるため、計算上ＧＤＰを押し上げることになるためだ。こうしたことを踏まえると、輸入額の減少は実際には、日本国内での生産活動が全体的に停滞しているとみることもできる。

「それを裏付ける数値が今後出てくる可能性が高い」と湯口氏は指摘する。「二・二％の成長率」が見かけほど良くない、とされる理由の一つだ。

さらに、輸出額の減少は世界経済の減速が数値として表れてきたことも意味している。

†日中貿易戦争に呑み込まれる

「いま日本経済がピークアウトし始めようとしている要因には、大きく二つの背景がある」

浜銀総合研究所の遠藤裕基主任研究員は解説する。

一つ目は「ITサイクル」という大きな景気循環の停滞期にあるという点だ。

「二〇一六年から二〇一八年にかけて半導体関連の生産が大きく拡大した。だが、ここにきて中国経済に翳り(かげ)が出始めIT関連が勢いを失い、日本からの輸出が弱くなっている」

日本の製造業の中核を担う半導体関連産業では、精密部品を日本で生産し中国に輸出する。日本や東南アジア諸国連合(ASEAN)で作られた部品は中国に集められ、大規模工場で完成品に組み立てられる。そして米国やアジア各国の最終消費地へ輸出される。

この大きな貿易の構図の中で中国景気が弱含むと、その余波が日本にも及ぶ。

「大きな景気循環の内側での停滞であれば、ピークアウトしても需要期の波や、在庫が一巡すればまた回復が期待できる。そうした兆しはみえつつある。だが、いま起きているも

う一つの要因は、その帰趨を予期できない世界的な覇権争いが起きているという点だ」（遠藤氏）

それが二つ目の要因。米中貿易摩擦の帰趨だ。世界の二大マーケットが互いに、関税の引き上げなどをめぐり反目し合っている。経済の大きな景気循環の上下変動であれば先を見通すこともできるが、大国による政治、経済上の覇権争いが絡み合うことで、一層先行きを不透明にしている。

日銀の企業短期経済観測調査（短観）で注目すべき点はここにある。「輸出と設備投資という景気の両翼が失速すれば、後退局面に入る可能性もある」と遠藤氏は警戒する。

†トドメとしての消費増税

そうした懸念が強まる中で二〇一九年一〇月、税率八％から一〇％への「消費増税」が行われた。

政府はインパクトを平準化しようとポイント還元策や軽減税率を導入し、消費を冷え込ませまいと緩和措置を打ち出している。飲食料品の税率を八％に据え置く軽減税率は、「店内で食べると一〇％、持ち帰ると八％」とややこしい。

数々の対策を打ったことで、二〇一四年に実施された五%から八%への増税ほどの悪影響は出ないとする見方が少なくなかったものの実際には、二〇一九年一〇~一二月期の実質GDPは年率換算で七・一%減と、一年三カ月ぶりのマイナス成長となった。

二〇一三年に本格始動した「アベノミクス」によって物価は上昇し、実質家計消費支出指数は下降を続けている。消費増税によってさらに消費の減退に拍車がかかれば、企業は売り上げを確保できず、雇用削減に手を付けかねない。低くとどまっている失業率が上がり始める事態も起こり得るだろう。人手不足、酷使され疲弊する現場、貧しくなる一方の市民、という悪循環に拍車がかかる(第一章)。

内需と外需の失速による「景気後退の危機」は確実に迫っている。

3 異次元政策の果実は不味すぎる

働く人の多くが将来に不安を抱え、貯蓄もできず、生活は厳しくなり、だから消費が伸びない。平成時代に入って長期に続く景気低迷から脱しようと二〇一三年から本格始動したのが経済政策「アベノミクス」であった。

「大胆な金融政策」「機動的な財政政策」「民間投資を喚起する成長戦略」という「三本の矢」を柱とする一連の政策だが、開始から七年を経てもなお当初の目標「物価上昇年率二％」を達成できずにいる。六度も目標達成の先送りを繰り返し、もはや「いつまでに」と明言することさえやめた。「アベノミクス」の果実は一体どこにあるのか。

†景気は循環せず、停滞した

『偽りの経済政策——格差と停滞のアベノミクス』（岩波新書）の著者で理論経済学者の服部茂幸・同志社大学教授は指摘する。

「日銀による異次元金融緩和は急速な円安を生み、しかし意図した輸出拡大はなく、逆に円安にもかかわらず輸入が増大した。その結果円安のインフレとなり、実質賃金と家計の実質所得を削り取った」

消費は停滞し、アベノミクスが意図する「円安による景気回復のルート」は途絶えた、と服部氏は分析する。ただ、円安は特に輸出系企業に大きな利益をもたらした。この為替差益に加え、二〇一五、一六年は世界景気が好調だったことも追い風に、大企業の業績は軒並み過去最高益を更新した。

だが見込んだ景気回復の循環はあっけなく裏切られる。大企業の多くはアベノミクスで得た利益を賃上げや設備投資に回さず、内部留保として蓄えたのだ。

売上高二〇〇〇億円規模のある企業幹部はこの動きについてこう説明する。

「いつ景気後退局面に入るか分からない。バブル崩壊とリーマンショックを経験してきた私たちはとても慎重になっている。いま人件費を増やすわけにはいかない」

アベノミクスが引き起こしたこの経済現象は、景気後退とインフレが同時進行し人々の生活が苦しくなる「スタグフレーション」であるということが鮮明に浮かび上がってくる。

†金を預けて、金を取られる。それが「異次元緩和」

ではアベノミクスの核心である「異次元の金融緩和」とは一体何であったのか。日銀はこの間、何をしてきたのか。

端的に言えば、金融機関が国から買った国債を日銀が大量に購入することで通貨を市場に大量供給してきた。膨大な量のお札を新たに印刷した（電子データも含む）と言ってもいい。この通貨の総量「マネタリーベース」は、二〇一三年三月の一三八兆円と比較して、この七年間で三・九倍にまで急拡大し、二〇一九年六月時点で五一二兆円を超えた（図2

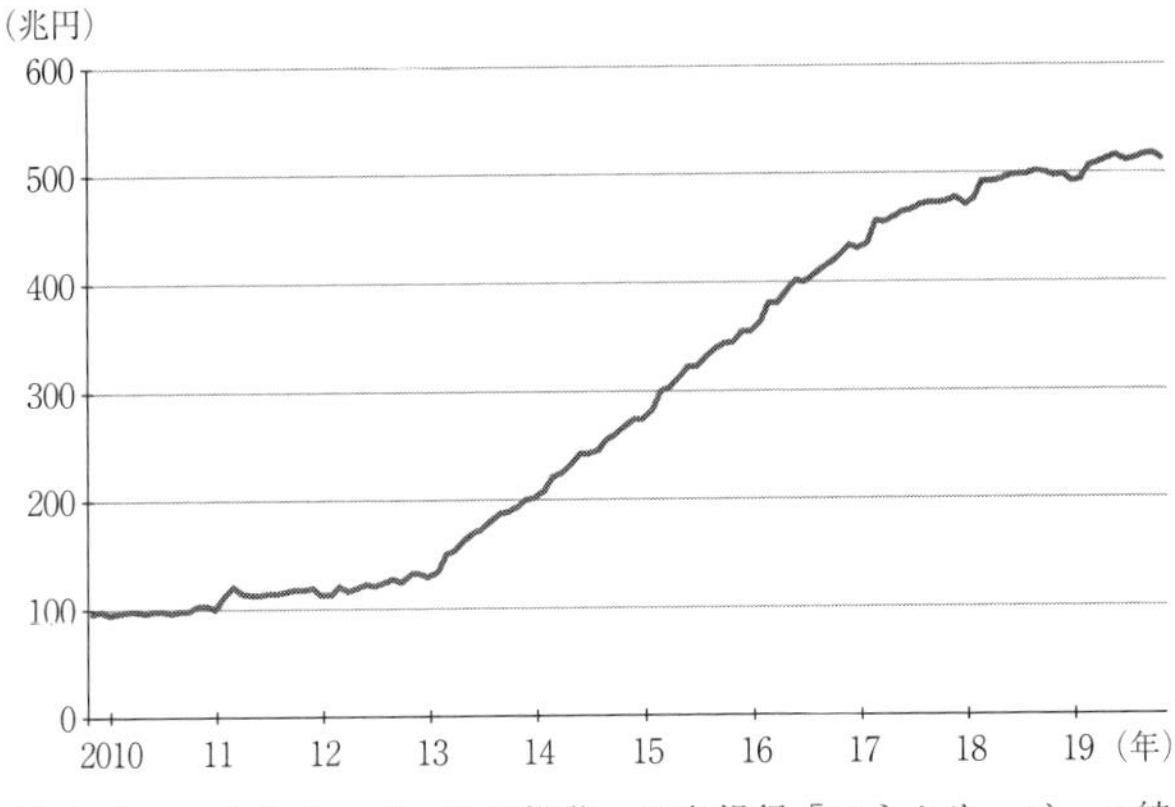

図2-3　マネタリーベースの推移。日本銀行「マネタリーベース統計」から作成

-3)。

こうした異常な金融緩和を続けている国は世界中を見渡しても日本しかない。

米国は二〇〇八年から二〇一五年ごろまで史上最大規模でマネタリーベースを引き上げたが、それでも国内総生産（GDP）比で二〇%前後だった。一方、日本は二〇一八年九月時点で九三%を超えた。

日銀はそれでも「今後も粘り強く続ける」とする姿勢を変えない。

そしてついに日銀は二〇一六年一月、異例の「マイナス金利政策」の導入を決定したのだった。金利とは、金を預けたら利子が付いて増えていく利率のことだ。その利率がマイナスになるということは、金を預けたら、マイナス利率の分だけ預けた金が減るということを意味する。そんなことなら誰も預けないだろう。普通に考えれば理解しがたいが、具体的に説明すると「預けられた金について手数料を取られる」ということ。

実は、私たちの普通預金でも発生している現象である。例えば、銀行に一〇〇万円預けているとする。現在の普通預金の金利は、年率〇・〇〇一％（税引き前）なので、一年間預金していても、一〇〇万円に付く利子は一〇円である。しかし、この一年間にコンビニエンスストアのＡＴＭで預金を引き出したり、他銀行へ振り込んだりして、手数料を一度でも一〇〇円取られたとしよう。

するとどうだろう。一〇〇万円預けていたのに、一年後には預金額が九九万九九一〇円に減ってしまうというわけだ。この手数料（管理料）を大手の銀行と日銀の間でも発生させる（銀行は保有する金を日銀に預けている）ことでマイナス金利が実現するというわけだ。日銀に金を預けている銀行は、放っておいたらどんどん金が減るので引き出して融資に振り向けようとする。そのための「マイナス金利政策」であった。

このマイナス金利の導入から丸四年が経過した。だが未だにアベノミクスの目標である「物価上昇年率二％」には遠く及ばない。

前出の服部氏は「既に日銀の国債購入は大量で、このまま続けるといずれ売り手となる金融機関がいなくなる」と指摘する。

では物価上昇年率二％が達成したらどうだろうか。目標達成でアベノミクスは終了する――。それは日銀が国債購入をやめることを意味し、そのとき国債の暴落は避けられない。同時に金利も上がる。最悪のケースでは、円が国際的信用を失い、異常なハイパーインフレを引き起こすのではないか。そう指摘する専門家は少なくない。

それでも政府による景気対策は大盤振る舞いで二〇二〇年度一般会計予算案は初の総額一〇二兆六五八〇億円台に達した。新たな借金にあたる国債の新規発行額は三二兆五五六二億円で歳入の三一・七％を国債に依存し続けている。

†毒ニンジンを食らう

アベノミクスが掲げる「物価上昇年率二％」という目標は、実によくできていると感心する。それは永遠に到達することができない馬の首の先にぶら下げたニンジンのようであるからだ。しかもこのニンジンは食ったら死ぬ毒ニンジンである。どういうことか。

安倍政権の財政政策は「緊縮財政」を掲げている。つまり「これ以上借金を増やさない」「借金は減らしていこう」という基本姿勢を取っているということだ。だから第二次政権に就いてからの七年間に二度、消費税の税率を上げ（一回目は二〇一四年四月の五％から八％、二回目は二〇一九年一〇月の八％から一〇％）、その財源を借金の返済と社会保障に充てると説明してきた。

しかし消費税率を引き上げれば、個人消費は確実に落ちる。実際、消費増税のたびに実質消費支出指数は減退してきた。消費が冷え込むということは「人があまり物を買わない」ということなので、本来は物価は上がらない。

だが実際にはアベノミクスが本格始動した二〇一三年以降、物価はじわじわと上昇してきた。物価上昇の要因は多岐にわたるが、これは「景気が良くなってきた」とか「消費が拡大している」からではなく、円安になったため輸入品の価格が上昇しその結果、物価が上昇したとみる方が正しい。

こうした理由で物価が上昇しているため、企業は賃金を上げようとしない。企業が従業員に支払った給料の総額を示す「名目賃金」はじわじわと上昇したものの、それを超える水準で物価が上がったため、「実質賃金」は減少し続けている（図2-4）。だから消費が拡大しない。

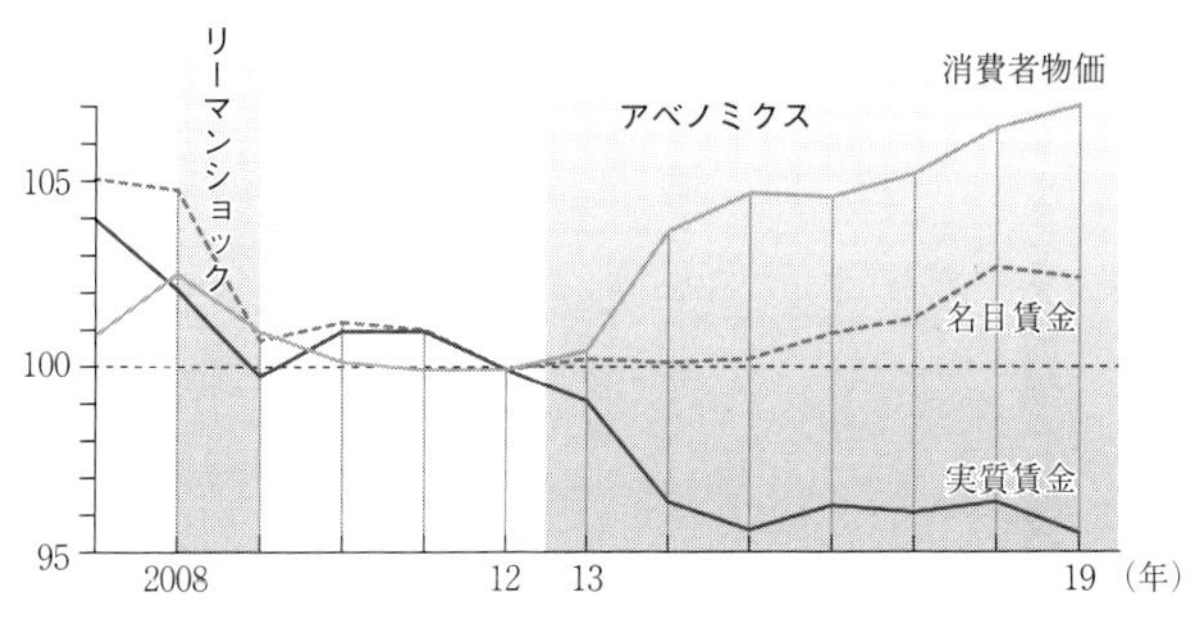

図2-4　賃金と物価の推移。厚労省「毎月勤労統計」、総務省統計局「消費者物価」から作成。賃金は「調査産業計（5人以上）」。2012年を100とした指数

ここ数年、「これ、小さくなってない？」という商品が増えている。カルビーの「かっぱえびせん」は二〇一九年七月、一袋の内容量を九〇グラムから八五グラムに減らした。原材料費や流通などにかかる経費がかさんでいるためであるという。本来なら価格を引き上げればよい。企業による売価の引き上げが至るところで起きれば、物価はもっと上昇するだろう。かさんだ経費を売価に転嫁できれば賃金を引き上げることも可能になる。だがメーカーは価格の引き上げに及び腰だ。その理由は「上げれば売れなくなるから」に他ならない。これこそ、いまが「不景気である」ことの証左である。

馬の比喩に戻れば、「物価上昇年率二％」という目標に向けてひたすら激烈にムチを打たれてい

る馬は、いくら走ってもニンジンには到達し得ない。そうした構造を内在している目標値なのである。では何かの要因で、例えば原油が高騰するなど、アベノミクスとは無関係の外的要因によって物価が上昇して二％の目標を達成し、アベノミクスが終了したとしよう。するとどうなるか。

日銀による国債の購入や日本株の買い支えといった作用が停止する。金利は上昇し、企業による借り入れが急激に大きな負担となる。資金繰りが難しくなる中小企業は続出するだろう。また、「国債は日銀が買ってくれるから」という理由で価値が維持されてきたが、その信用も一気に剝落（はくらく）する。国内外の金融機関などの機関投資家たちが円を売って他の通貨を買う動きが加速すれば、歯止めを失う可能性もある。急激な円安、つまりハイパーインフレの危険が迫っていることは、既述の通りである。

毒ニンジンを追いかけ続けるという構図は、そもそも「アベノミクス」に内在している究極的な陥穽（かんせい）なのであった。

†「成長はない」ことを前提とした議論

破滅へと進むことが必然の経済政策をひたすらに掲げ続ける為政者を前に、私たちはどうすればいいのだろうか。

「もはや「アベノミクスがいかにダメか」ということを分析、検証することにあまり意味はない。ここから重要なことは、アベノミクスや新自由主義がなぜ支持されたのかという視点を持つことだ」

財政社会学が専門の井手英策・慶應義塾大学教授はこう言い、断言する。

「もう成長はない」。このことを前提に、一人でも多くの人が未来に向けて安心して生きていくことのできる社会とはいかなるものか。

「苦しんでいるのは、一握りの貧しい人ではないという認識をまず共有したい」

世帯年収三〇〇万円以下の所得層が三割を超えた。中間層も確実に減少している。

しかし、と井手氏は言う。「内閣府による暮らしぶりを尋ねた調査によると「自分の所得階級はどこか」という趣旨の質問に「下流（低所得）」と答えた人は四・二%しかいない。一方、「中間（平均）」と答える人は九割を超えている」（「国民生活に関する世論調査」）

実態は、日々の生活に汲々としながらも「中間層」だと自覚している人が大勢いることを示している。

「この人たちの将来不安をなんとかしなければいけない」。いま井手氏は多くの批判を覚悟の上で「増税」を訴えている。増えた税収を、サービスの形で分配することで人々の将来不安を払拭する財政政策を打ち出している。「もう社会は耐えきれないところまできている。こうしたときに大きな変革がやってくる」。それが分配への舵だ。

安倍首相は二〇一九年一月の通常国会の施政方針演説でこう言った。

〈「成長と分配の好循環」によってアベノミクスは今なお、進化を続けています〉〈家庭の経済事情にかかわらず、子どもたちの誰もが、自らの意欲と努力によって明るい未来をつかみ取ることができる。そうした社会を創り上げてこそ、アベノミクスは完成いたします〉

アベノミクスの完成がなにやら抽象的な「子どもの未来」と置き換わっていて一瞬言葉を失ったが、目標数値の達成が困難とみるや、本来無関係な教育を持ち出し、「分配」の経済政策へと舵を切り始めたと言ってもいい。

こうして政府は二〇一九年一〇月から幼児教育・保育の無償化を実施した。これは「分配の経済政策」を打ち出したことの現れと井手氏はみている。

「一時代が終わるとき、社会や経済に変革のときがやってくる。歴史的にそうであった。そしていま、その大きな変革の兆しが見えている」

昭和から平成へと移り変わったときにも、東西冷戦が終わり、日本経済は衰退への道を歩みはじめ、新自由主義が隆盛のときを迎えたのだった。

時はいま平成から令和へとなった。私たちはどのような社会を求めているのか。その問いこそが、この国の次代を築いていく。

†それでも強気な日銀総裁

「物価上昇の勢いが失われれば、躊躇なく追加金融緩和を検討する」

日銀の黒田東彦総裁は二〇一九年六月、金融政策決定会合後の記者会見で三度も「追加緩和を検討」と繰り返し強調した。

「引き続き、現在の強力な金融緩和を粘り強く続けていくことが適当と考えています」

金融政策の方向を変えようとしない強気の発言の背景には、世界経済失速の観測とそれに伴う欧米の動きがある。黒田総裁が自ら指摘しているように、世界経済が悪化するリスクは高まっている。

こうした状況の中で二〇二〇年一月から中国で端を発した新型コロナウイルスの感染拡大が世界経済を直撃した。二月の一カ月だけでニューヨーク株式市場のダウ工業株三〇種平均は取引が一五分間停止される措置「サーキットブレーカー」が三度も発動され、下落幅が過去最大を更新する事態に陥った（同月一七日時点）。

この動きに合わせて米連邦準備制度理事会（ＦＲＢ）は同月三日、〇・五〇％の緊急利下げを実施。しかし株価は続落したことから、一五日にはさらに大幅利下げに踏み切り、二〇〇八年の金融危機以来となるゼロ金利政策を打ち出した。

日銀は三月一六日、金融政策決定会合を開き、複数の株式をまとめた「ＥＴＦ（上場投資信託）」の購入枠を現在の年間約六兆円から当面、年約一二兆円に倍増する方針を発表した。だがＥＴＦの買い増しは株価を下支えするわずかな効果はあるものの、景気の底割れを食い止める意味はほぼない。

世界経済が底割れしかねない状況下にあって、こうした政策しか打ち出せないのは「日銀の政策余力の乏しさ」に尽きる。この七年余り漫然と緩和を継続してきたことによる強烈な副作用なのであった。なぜそう言えるか――。

†異次元の常態化と、見えない出口

二〇〇八年九月のリーマンショック直後から各国は、世界規模の金融危機を早期に収束させようと、大規模な金融緩和に打って出た。米国は二〇一四年末には緩和を終了、二〇一八年は四度の利上げを実施し金融政策の正常化に取り組んできた。欧州も二〇一八年には量的緩和を終えたとされる。欧米が金融緩和をやめたのは、将来起きる可能性がある景気後退局面に備えるためだ。こうした中にあって日本は、二〇一三年一月から異次元緩和を軸とする「アベノミクス」をスタートさせた。繰り返しになるが、掲げた目標は「物価の年率二%上昇」。だが七年を経過した今でも実現できていない。

この異次元緩和は常態化し、そして先述した黒田総裁の強気の発言だ。この間に日銀は何をしてきたのか。

国債発行残高は二〇一八年一二月末時点で一一一一兆円にまで膨張。この国債は金融機関が購入し、それを日銀が買い取る。購入する際の資金は、円を新たに発行する。先述したところだが、この日銀が供給する「円」の総量を意味するマネタリーベースは二〇一九年一二月末時点で、五一二兆七七六七億円にまで拡大した。アベノミクスが始まる前の二〇一二年一二月時点で一三一兆九八三七億円だった水準からすると実に約三・九倍。これが「異次元」の意味するところだ。

そうして銀行などの金融機関から大量に買い集め続けた結果、日銀の国債保有残高は二〇一八年一二月末時点で四七八兆円にまで増加。日銀は国債残高の四三％を保有する最大の保有主となった。日銀が円を発行し、国債を購入することで円の量が増え、市中に金が行き渡り、金利は下がり続けた。そうすることによって設備投資や生産活動への意欲が高まり、賃金が上がり、消費が拡大し、物価が上昇し、さらに消費が刺激され、景気が回復していく――。それがアベノミクスが描いた回復のシナリオであった。

だが机上のストーリーは内実を伴わず、いまや「異次元」から正常化への軌道さえ暗中にある。黒田総裁は前掲した二〇一九年六月の記者会見でこうも言った。

「当然（物価上昇年率）二％の「物価安定の目標」が達成される、実現されるという状況になったときに、全体として出口の議論が行われるということになると思いますが、今の時点でこれをどうするかは全く考えていません」

†シナリオの逆をいく「官製景気」

浜銀総合研究所の遠藤裕基主任研究員は指摘する。

「実際に後退局面に入ったとき、米国や欧州は緩和措置を取り得る。世界的にこうした動きが一斉に出たとき、円高リスクに対して日本が打てる手は限られている。この政策余力の乏しさが、問題の核心だ」

追加緩和措置の具体策について黒田総裁は、民間銀行から金を預かる際に手数料を取るマイナス金利幅の拡大や、資産買い入れの増額などを例示し「これらを組み合わせた対応を含めて適切な方法を検討する」とした。

日本経済の実相はつまりこうだ。国内実需に底堅さはなく、名目賃金は上がったものの、物価上昇のペースには追いつかず、だから実質賃金が上がらないため消費は脆い。アベノミクスという官製景気は一時的に異次元を浮遊しているだけであって、着地点はいまなお見えていない。内需と外需が崩れようとし、金融政策も打つ手が乏しい今、政府は致命的打撃になり得る「消費増税」を断行した。

4 粉飾体質——意図的な「偽装」暴かれる

着地点や出口戦略が見えないまま「異次元の金融緩和」「物価上昇年率二%」を唱え続け、「景気は上向いている」「成果は出ている」と主張する政府や日銀。

だが、そこで見せられている「成果」が操作された数字だったら……。国民を納得させるための「成果」さえも都合よく作り出す政権の手法と体質を追う。

†意図的かつ短絡的操作

居並ぶ官僚と国会議員を前に淡々と、しかし鋭く問題の核心を衝く。

「別人の身長を比較して「背が伸びた」と言っているようなもの」

政府統計に詳しい明石順平弁護士は二〇一九年一月、衆議院本館で行われた野党合同ヒアリングで、厚生労働省が公表してきた実質賃金の偽装を整然と解き明かした。

これまで毎月公表されてきた「実質賃金」だが、二〇一八年から集計方法を変えたにもかかわらず、二〇一七年の数値とそのまま比較したことで、実際より高い伸び率が公表されていたのだ。

明石氏が試算した数値について問われた厚生労働省の担当者は手を震わせ、明言を避けようと言いよどみながらも、やがて認めざるを得なかった。

「あの……実質賃金……おそらくでありますが、明確に申し上げられませんが、数字の幅の計算でございますので、おそらく（明石弁護士の試算と）同じような数値が出ると思われます」

同省は当初、二〇一八年一〜一一月のうち、五つの月で「前年同月比プラスの伸び率」と公表していたが、実際には六月のひと月しかプラスではなかった。

明石氏は「まさか認めると思わなかった」と拍子抜けしつつも、静かに憤怒していた。「完全に意図的な「偽装」と言っていい。二〇一八年八月にはこの数値の公表を受けて、メディア各社は「二一年五カ月ぶりの伸び率」などと報じていたのです」

粉飾に感づいたのは二〇一八年九月のことだった。

アベノミクスの異常性を統計データから解き明かした著書『アベノミクスによろしく』（集英社インターナショナル新書）で知られる明石氏は、本の出版後も統計数値の注視を続けていた、その最中だった。

統計を扱っている者が見れば確実に気付かれる短絡的な偽装は、明石氏が二〇一八年九月に指摘した後も続けられていたのだ。「要は、アベノミクスがうまくいっていないことの証左と言える」

事は統計の偽装だけにとどまらない。

「このままでは日本という国家の信頼が喪失しかねない」（明石氏）

†「異次元」の内実

公共工事は増え続け、東京都心部でも、横浜市の中心部でも槌音が消えることはない。

しかし、神奈川県内で建設業を営む前出の真壁さんの表情は晴れない。

「いつか上がる金利を考えたら、正社員を増やせるわけがない。ボーナスは増やせても、基本給は上げられない。資金繰りを考えたら一日でも長く「アベノミクス」を続けてもらいたい。いま息切れしたら、連鎖倒産の可能性は低くないと思う」

長く自民党を支持し、アベノミクスに対しても賛意を示す真壁さんだが、常に先行きの不安がつきまとってきた。

「目の前の従業員をどうやって食べさせていくのか。会社を経営してたら、そのことだけがいつも頭から離れない。簡単に政権批判なんかできない」

二〇一九年当初、「戦後最長」に到達した可能性があると政府によって喧伝された現在の景気回復。回復は第二次安倍政権が誕生した二〇一二年一二月から継続し七四カ月に達するなどとされていた。二〇一九年一月二八日に始まった通常国会の冒頭、安倍晋三首相は施政方針演説で、手柄を披瀝するかのように胸を張った。

〈この六年間、三本の矢を放ち、経済は一〇%以上成長しました〉〈企業の設備投資は一四兆円増加しました。二〇年間で最高となっています〉〈五年連続で今世紀最高水準の賃上げが行われました。経団連の調査では、この冬のボーナスは過去最高です〉

こうした「成果」は、アベノミクスの「三本の矢」によって成し遂げられている、という説明だ。一本目の矢が「異次元の金融緩和」。日銀が大量に紙幣を刷り、いわば「無から生み出した金」で国債を市中の銀行から大量に買うことで、新たな金が銀行に入る。日銀が国債を大量に購入していくことで、国債の利回りは低下する。国債の金利は銀行が企業に融資する際の金利と連動するため、それと同様に低金利になり、企業は銀行から割安で融資を受けられるようになっていった。

国債の金利が低下していくことで、円の金利も低下し、円安に振れていった。為替相場が円安に動くことで大手の輸出系企業の業績は過去最高を更新し続けた。これがいま起きている現象だ。景気は回復しているように見えるが、しかし——。

†空論が描く砂上の景気

くり返しになるが、アベノミクスによる景気回復の理屈は、市中への通貨の量を急拡大させることで銀行から企業への貸し出しが増え、企業の生産活動が活発化し、賃金が上昇、そして消費も拡大することで物価も上がり、景気が良くなる、という循環を前提にしている。物価が上昇すると予測した消費者は今のうちに買っておこうと考え、さらに消費が刺激される現象が起きる、とされていた。

だが現実は違っていた。そもそも国内企業にはそれほどの資金需要がなかったのだ。逆に、円安に振れたことで、輸入品が割高になり国内の物価は上がった。そして、物価上昇を加味した賃金（実質賃金）は減少傾向に歯止めがかからなくなっている。景気拡大の実感がないのは、それもそのはずである。

実際、国内総生産（GDP）の成長率も「いざなみ景気」（二〇〇二年二月から七三カ月間）の実質一・六％に及ばない実質一・二％。一方で国の借金は一一一一兆円を超え、日銀の国債保有残高は四七八兆円にまで膨張している（二〇一八年一二月末時点）。

こうした現実に、前出の明石順平弁護士は言う。

「アベノミクスという歴史的に類を見ない壮大な社会実験が「大失敗に終わった」という結論はもはや出ている」

だが、先に黒田総裁の発言を引用した通り「出口戦略」を問われた日銀は「時期尚早」

と繰り返すばかりだ。迷走の末の着地点は一体どこにあるのか。

†異常事態の常態化

日銀に対して、異次元の金融緩和は「もう限界ではないか」と問うと、こう答えた。

「「いつまで」と言える段階ではない。金融緩和を粘り強く続けていく方針に変わりはない」（二〇一九年一二月、福田英司日銀横浜支店長〔当時〕）。

アベノミクスの第一の矢「金融緩和」について、いま起きている事態を冷静に追ってみよう。

二〇一八年一〇月末の日銀によるリポートでは、二〇二〇年度の物価上昇率の見通しが一・九％から一・五％に下方修正された。それでも当初の「物価上昇年率二％」という目標の達成に向けて、今後も金融緩和を続ける、という。

図2-3で既に見たように、日銀はマネーを市中にあふれさせた。そのマネーは、銀行から企業への融資となっていった。そして図2-2で示したように、東京商工リサーチがまとめた国内銀行一一〇行（大手銀、第一地銀、第二地銀）の貸出金は、アベノミクス始動前の二〇一二年九月期で四二四兆一六六五億円。直近の二〇一九年九月期で五三九兆六七

九九億円で、七年間で約二七％増加した。増えたと言えば増えたが、日銀が同時期に引き上げたマネタリーベースが三・九倍に達していることと比べれば「微増」と言っていい。

アベノミクスの想定した理屈は、このように市中に大量の通貨が供給されることを出発点として、企業活動が活発化し、賃金が増え、物価は上がり、消費が拡大するという好循環をもたらす見込みだった。

だがアベノミクス以降、物価は上昇し、消費は冷え込み続けている。マネタリーベースを異常なレベルで拡大させても、実質賃金も消費も拡大しなかったという現実は、当初の物価上昇率目標（二年で年率二％）が未達成だった時点で明白であった。日銀は既に、この目標について六度も先送りしているにもかかわらず、依然として「粘り強く続けていく」としている。これは異常事態の常態化に他ならない。

†迷走の政策は奈落へ

この先どうなるのか。

「まともな出口戦略は描けない」と絶望的な観測を示すのは、前出の明石順平弁護士だ。日銀は国債のほか、上場投資信託（ＥＴＦ）を大量購入し、株価を維持しようと躍起だ。

やめようにもやめられず、株価が暴落するため売ろうにも売れない。国債も同じだ。日銀による大量購入を前提に市場が築かれてしまっている。この構図が崩れた瞬間に、いや、崩れるかもしれないという観測が真実味を帯びた瞬間に、金利は上昇し始め、株価は下落基調に入り、円は信用を失い、異常な円安（ハイパーインフレ）になる可能性がある。これが最悪のシナリオであることはくり返し強調している通りだ。

そして二〇二〇年一月以降、中国・湖北省武漢市から広がり始めた新型コロナウイルスの感染が世界規模に拡大している。世界経済の下押しは避けられそうにない。日本経済への影響も甚大で、実質GDP（国内総生産）は二〇一九年一〇～一二月期に続いて二〇二〇年一～三月期もマイナス成長を避けられそうにない。

二期連続のマイナス成長となればそれは「テクニカル・リセッション」、つまり本格的な「景気後退局面」への突入を意味する。

政府は大規模イベントの開催を自粛するよう要請を出し、サッカーJリーグの試合が延期され、アイドルのコンサート等が中止となった。無観客ライブを決行するアーティストも出ている。飲食店では、送別会や懇親会が軒並み中止となり、ホテルの宴会場の予約もキャンセルが相次いでいる。「自粛ムード」は深刻で、消費はかつてないほど一気に落ち込む可能性が極めて高い。

だがそれでも日銀は効果的で新たな「追加緩和」策を持ち合わせていない。「緩和」が、ネクタイを緩める意味だとすれば、もはや日本の金融政策は全裸状態と言っていい。これ以上、緩めようのない状態（全裸）で寒空の下を全力疾走していると言っていい。

前述の通り、米国の中央銀行に当たるFRBは二〇二〇年三月一五日、世界的な景気後退を避けようと利下げに動いたが、日銀にさらなる利下げという選択肢はほぼない。

いずれにしても、進むも奈落、止まるも奈落、とにかく痛烈な痛みを直視しまいとするアベノミクスの迷走はこれからも続こうとしている。

†「数字よりも感性」と喝破する財務相

景気回復の実感がない現状を問われ、麻生太郎財務相（副総理）はこう答えた。

「上がっていないと感じる人の感性」

さらに、質問した民放の記者に対し「（あなたの給料は）どのくらい上がったんだね」と逆に質問し、記者が「ほとんど上がっていない」と答えると、見下げるようにこうも言った。

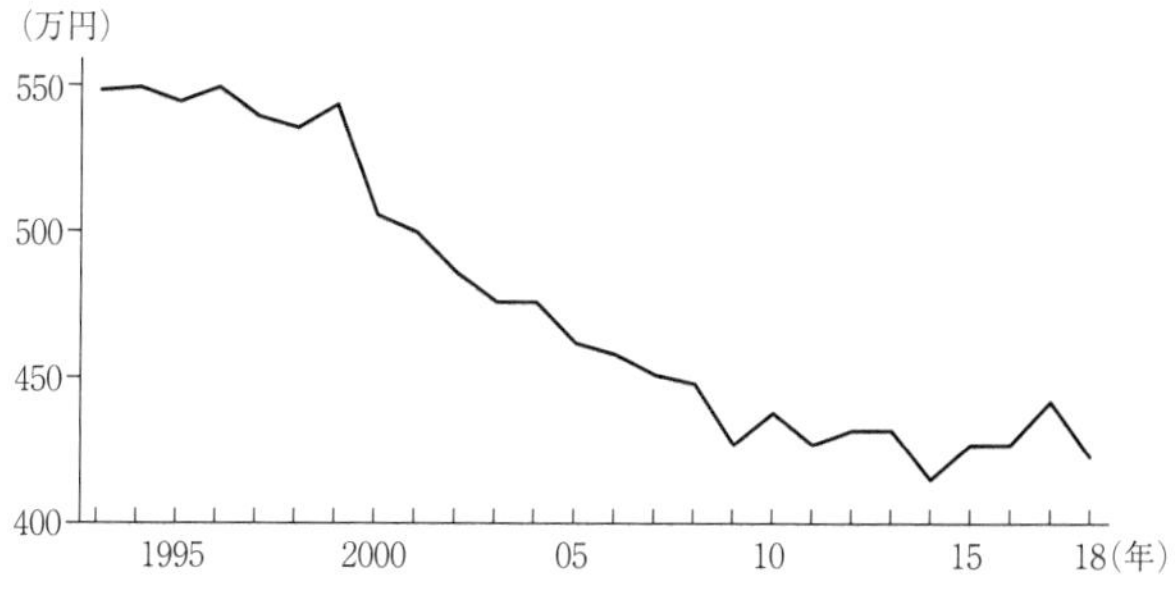

図2-5 所得金額階層別世帯数の相対度数分布の「中央値」の推移。厚生労働省「国民生活基礎調査」から筆者作成。2011年調査は岩手、宮城、福島県を除く、12年調査は福島県を除く。16年調査は熊本県を除く

「そういう所（会社）は、そういう書き方になるんだよ」

二〇一八年一二月一四日の閣議後の記者会見での問答である。景気回復が内実を伴わない虚像であり、アベノミクスが当初の目標を達成できず迷走し始めていることはもはや明白だ。景気回復の実感が得られないのは「感性の問題」などではなく、数字からもはっきり読みとることができる（図2-1、2-2、2-3参照）。

現実を直視していないのは麻生財務相その人に他ならない。真摯な説明をせずに嘲笑（あざわら）うような振る舞いに終始するのは、その現実を覆い隠そうとしているからなのだろう。

残酷な現実は、他にも数字が克明に物語っている。厚生労働省「国民生活基礎調査」によれば、世帯

年収を低い順に並べたとき中央に位置する「中央値」は、ピーク時の一九九六年（五五〇万円）と比べ二〇一八年は約二三％も下落し、四二三万円となっている（図2-5）。

†虚構の塗り重ね

問題はさらに根が深い。この国の状況を正確に把握する上で、極めて重要な「統計」が偽装されていたのだ。本節の冒頭で紹介した、厚労省による毎月勤労統計の「実質賃金」偽装疑惑である。

二〇一九年二月四日の衆院予算委員会。立憲民主党の小川淳也衆院議員が政府側の思惑を衝いた。

「アベノミクスの成果を偽装するために賃金水準を引き上げようとする思惑があったのではないか」

偽装は国内総生産（GDP）そのものにも隠されているという指摘がある。

安倍晋三首相は二〇一五年九月、「新・三本の矢」と言い「名目GDP六〇〇兆円」の達成を掲げた。だが従来の算出方法のままでは達成が難しい。そこで基準を改定し「かさ上げ」したのではないか――。前出の明石順平弁護士は、二〇一六年一二月に行われた政府による研究会での興味深いやりとりについて指摘している。

「より正確な景気判断のための経済統計の改善に関する研究会」の公開されている議事録を読むと、最終回となる第五回に、委員の一人がこう発言している。

「国民の中で、特に悪い材料がでているわけでもないのに、先行きが不安だという人が増えてきている。今回の基準改定（二〇一六年一二月八日改定）については、幾つか元気になる材料があるので、そういう漠然とした不安感を打ち消すことに使えないか」

こう述べた上で、旧基準を前提とすると、名目GDP六〇〇兆円の目標達成は、二〇一八年度から三％台の成長という過去二〇年間でみられなかった高い成長率を達成しなければならないと指摘。しかし新基準であれば実現の可能性があると提言している。

「新基準では二〇一六年度の上半期から年率二・三％のペースで成長すると仮定すると、ちょうど二〇二〇年度の下半期と二〇二一年度の上半期の間でGDP六〇〇兆円を達成できる」と言い、さらにこう続けている。

「二・三％は実現可能だと国民が自信を持てる数字ではないか。経済財政の中長期試算については、しっかり準備して公表すると国民に元気が出るのではないか」

新基準を導入することで数値が達成され、国民が元気になり、安倍首相が掲げた目標も実現性を帯びる。

明石氏はアベノミクスの失敗を隠すためにGDPの「かさ上げ」が行われたとみている。

「こうしたかさ上げが行われなければ「戦後最長の景気拡大」は実現していなかった可能性がある」

†経済を権力の源泉に

かつてここまで経済に介入し、経済を支配した政権があっただろうか。

政府と日銀が共同声明を発表したのは二〇一三年一月のこと。以来、両者は一体化し異次元の金融緩和を続け、もはや切っても切れない関係になってしまった。

いまや、政府と日銀が金融政策で決別すれば、国債や株価は暴落、金利は急上昇し、過度なインフレといった恐慌を引き起こす可能性すらあることは、繰り返し述べてきた通りだ。この間に行われた金融緩和は、それほどに異常なレベルまで達している。

それでも、いや、だからこそか。前出の中小企業の幹部真壁さんの言葉が重く響く。

「一日でも長くアベノミクスを続けてもらいたい。自民党を支持する最大の理由はそれだ」

アベノミクスを俯瞰してみると、浮かび上がる輪郭がある。それは「経済」を鷲掴み(わしづか)にし、自らの権力基盤の源泉としている点だ。いまやめたら経済はガタガタになる。だから「この道しかない」と断じ、多くの人を視野狭窄(きょうさく)に陥らせている。

私たちの側にも同種の罪がある。不都合な事実から目を背け、強者の論理に身を委ね、ひたすらに心地よさを感じようとしてはいないか。

†国家による再びの誤導

この異常な経済政策の行きつく先はどこなのか。

数字やデータを偽装し、不都合な難題に直面してもなお「それは感性の問題」と言ってはばからない為政者。問題の深刻さを軽視し、責任の回避に躍起になる権力者の姿を、私は先の大戦、その末期と重ね合わせざるを得ない。

川幅六〇〇メートルの大河と二〇〇〇メートル級の山岳地帯を越え、四七〇キロを踏破し、イギリス軍の拠点「インパール」（インド北東部の都市）をわずか三週間で攻略する作戦が決行されたのは太平洋戦争末期、一九四四年三月のことだった。

NHKスペシャル「戦慄の記録　インパール」（二〇一七年八月一五日放送）では、新たに発見された膨大な機密資料を基に、その真相に迫っていた。

曖昧な意思決定と、組織内の人間関係が優先され、無謀な作戦は発令された。兵士は三週間分の食料しか持たされず、行軍中に攻撃を受け多くの死傷者を出すも、大本営は作戦継続に固執した。イギリス軍の戦力を軽視し、自軍の補給物資の確保をせず、当初三週間で攻略するはずが戦闘は四カ月に及んだ。そして、インパールには誰一人として辿り着けず、約三万人が命を落とした。このうち約六割は作戦中止後に命を落としたという。

凄惨な戦闘は、しかし国内では華々しく報じられていたのだ。対峙する敵の姿を見誤り、あるいは意図的に偽り、虚像を作り出し、自国の姿さえ見ようともせずに粉飾する。報道もそうしたミスリードに加担していた。

過去に権力と一体化して、この国を奈落へと向かわせた反省の上に、私たちの戦後はある。そうであるなら現状の危うさを冷徹に分析し、表明しなければなるまい。

空々しいだけのスローガンである「この道」は、ひたすら破滅へと向かっている。権力者による異常な支配のツケを払わされるのは、間違いなく私たちなのである。

第三章

左右を騙す「改憲」案

憲法改正賛同者署名1000万人達成を発表した「美しい日本の憲法をつくる国民の会」集会の様子（2018年3月14日、東京千代田区）

経済を支配下に置いた安倍政権が、そのもう一つの手で成し遂げようとしているのが「憲法改正」である。国内最大の右派勢力を背後に、国の権力の力強さを誇張し、推し進めようと振る舞っている。

特に二〇一七年五月三日の憲法記念日に、読売新聞紙上で表明した「二〇二〇年に改正憲法の施行」と「改憲四項目」（九条改正、緊急事態条項、参院選「合区」解消、教育の充実）によって、改憲論議は戦後初めて実現可能性を伴う形で具体性を帯びた。

だが実は、護憲派、改憲派、保守、リベラル、右派、左派といった多様な陣営のほぼ全てを欺いているというのが「安倍改憲」の核心である。この欺瞞の塊について、みてみよう。

1 「変わらない」という嘘

憲政史上初となる改憲の必要性を熱心に説く安倍首相のロジックは、「この改憲では何も変わらない」とするものだ。自衛隊の三文字を憲法に書き込むだけだ、と。七十余年変えることのなかった憲法に手を付けるというのに、「変わらない」とはどういうことなのか。

†邪知透ける改憲案

何度聞いても、いや聞けば聞くほど策動を感じる。安倍晋三首相の持論に、である。「自衛隊違憲論争に終止符を打つ」。冒頭からテロップ入りで改憲論を展開する動画を自身のツイッターに投稿したのは、二〇一八年九月の自民党総裁選、その投開票を目前に控えた一八日のことだった。

安倍首相は案の定、このときも力強い断定調でまくし立てていた。

〈立党以来の悲願である憲法改正に取り組むときがやってきました。いまだに多くの憲法学者たちは、自衛隊の存在を憲法違反と言い、多くの教科書に合憲性に議論がある旨の記述があるという状況があります〉

多くの憲法学者は、二〇一四年から二〇一五年にかけて議論された集団的自衛権の一部行使容認や、それに基づく安全保障関連法制について「違憲の疑いがある」と指摘していた。しかしそうした憲法学者の訴えについては一顧だにせず、安保法制を強行採決したのは、安倍首相が率いる与党である。

憲法学者の意見を黙殺しておきながら一方で、自身の改憲を訴えるために憲法学者の主張に耳を傾けるというのは、余りに都合がいい。

政府はこれまで「必要最小限度の実力」という枠の中で自衛隊を「合憲」と解釈し、いまも揺らいでいないはずだ。いま、自衛隊について「違憲かもしれない」と最も声高に公言して、「自衛隊員の誇り」を傷つけているのは、安倍首相その人ではないか。

†「九条」と「自衛隊」の論理を知り尽くしているはずの自民党が……

見過ごせないのは「自衛隊違憲論争に終止符を打つ」という安倍首相の説明と、その矛盾だ。安倍首相が主導する「自衛隊明記改憲」は、現行九条一項と二項を残し、その上で「九条の2」として、こう付け加える。条文案は二〇一八年三月に新聞各紙が報じた。

【九条の2　前条の規定は、我が国の平和と独立を守り、国及び国民の安全を保つために必要な自衛の措置をとることを妨げず、そのための実力組織として、法律の定めるところにより、内閣の首長たる内閣総理大臣を最高の指揮監督者とする自衛隊を保持する。

② 自衛隊の行動は、法律の定めるところにより、国会の承認その他の統制に服する。】

しかしこうした規定を付け加えても「自衛隊違憲論争」に終止符は打たれない。なぜか。

「自衛隊が違憲かもしれない」という議論の出発点は、現行九条二項に明記された「戦力の不保持」規定にあるからだ。

【第九条　日本国民は、正義と秩序を基調とする国際平和を誠実に希求し、国権の発動たる戦争と、武力による威嚇又は武力の行使は、国際紛争を解決する手段としては、永久にこれを放棄する。

② 前項の目的を達するため、陸海空軍その他の戦力は、これを保持しない。国の交戦権は、これを認めない。】（傍線引用者）

この「戦力」に自衛隊が該当するのではないか、という疑いが「自衛隊違憲論」の源泉であり、この条文が残っている限りは、「戦力なのではないか」という疑いが常につきまとう。したがって、本当に「自衛隊違憲論争に終止符を打つ」のであれば、九条二項の改正は避けて通ることができない。

この今まで語り尽くされた「九条」と「自衛隊」の論理について、歴史的に最も研究してきた政党は、安倍首相が統べる自民党に他ならない。

だから自民党は二〇一二年四月にまとめた「憲法改正草案」では九条二項そのものを改正し「自衛権の発動を妨げるものではない」と定め、日本に「自衛権」があることを明記していた。この文言であれば「自衛隊違憲論」の源泉である九条二項自体が改正されるため、「自衛隊は違憲なのではないか」という疑いは表面上、払拭される。

✝うごめく右派

このことは、一九九七年に発足し、安倍首相の「応援団」とも言われる国内最大の右派組織である「日本会議（にっぽんかいぎ）」もまた、他のどの団体よりも深く熟知しているところだ。

二〇一八年八月一五日。七三回目の終戦の日を迎えた東京・千代田区の靖国神社には多くの参列者が詰めかけていた。参道の一画では、日本会議と「英霊にこたえる会」が恒例の「戦没者追悼　中央国民集会」を開催していた。

「憲法改正に向けて具体的に動かなければならない時がきている」

登壇した国会議員は自民党の下村博文文部科学大臣（当時）。酷暑の中、力を込めて続けた。

「日本国憲法はGHQの占領時代に制定されたものである。この憲法には独立国家として最も大切なものが二つ欠けている」と言い、挙げたのが「軍」と「緊急事態条項」だった。

下村氏は日本会議国会議員懇談会の副会長を務め、これまでも日本会議の集会で度々マイクを握ってきた。二〇一八年の自民党総裁選では党内で、「安倍総裁三選を応援する有志の会」を立ち上げ、代表に就いた。

この終戦の日に開かれた集会での下村氏のスピーチは、こう続く。

「独立国家として軍隊を持ち、集団的自衛権を持つということは論理的に当然」と言い、安倍改憲案が本筋ではないことを示唆しつつも、「しかし、政治家は学者ではない。リアリスト（現実主義者）でなければいけない」とし、衆参両院で発議に必要な三分の二以上の賛成と、国民投票で過半数の賛成が必要だということを踏まえて次のように言った。

「総裁選で安倍三選に向けて圧倒的な流れを作り、その勢いで（二〇一八年秋の）臨時国会で具体的な憲法改正論議に入っていかなければならない」

下村氏は高揚する会場の人々を見渡し、こうぶち上げた。

「平成のうちに決着し、私たちの力で新しい日本を創造していく」

喝采が会場を満たしていた。

†過半数の賛成を狙った浅薄な戦略

本来であれば九条二項を改正し、自衛権を規定し「軍」を持ちたい。

その本音は国民投票で過半数の賛成を得られないと自覚しつつ、それでもなんとかして憲法に手を付けたい。だから論理を放り出し、「自衛隊明記」というその場しのぎの姑息な手に出る。

日本会議の会長で政治学者の田久保忠衛氏（杏林大名誉教授）にこの倒錯した戦略について問うと、こう答えた。

「私は個人的には、若いころからずっと「九条二項を削れ」と言ってきた。しかし、政治のトップが「それでは国民投票で成功しない」と判断したのであれば、それを尊重しないわけにはいかない。したがって私は安倍案に賛成」

この回答を聞き、数秒めまいに近い感覚に襲われた。長く保守運動に取り組み、論理を積み上げ訴えてきたのが九条二項削除論だったはずだ。それにもかかわらず「国民投票で過半数が取れない」という理由であっけなく旗を降ろす。「国内最大の右派勢力」がとる姿勢として恥ずかしくないのだろうか。浅薄の二文字しか思い浮かばない。

国の最高法規の改正を語り、二〇年余りかけてようやく手の届くところにまで漕ぎ着けたにしては、あまりに欺瞞的ではないか。

†「お父さん、憲法違反なの？」

戦後七十余年を経て、時代は大きな曲がり角にさしかかっている。国際情勢も東アジアの安全保障環境も、確かに変化している。同時に、違憲の疑いが濃厚な安全保障法制〈政府の言い方では「平和安全法制」〉が成立したのは二〇一五年九月のこと、丸四年が経った。

私たちはいま、自由や権利が為政者によってたやすく侵害される光景を日々目撃している。法案の強行採決は常態化し、議会手続きを無視して必要な審議を打ち切り、委員会採決を省略し本会議で法律を成立させもする。現行憲法が権力者の暴走を食い止め切れていない。こうした状況だからこそ、今以上に手厚い人権規定が必要だと感じる。

そうであれば、国民の権利や自由を豊かにし、国家権力を縛る方向での改憲議論はあっていい。憲法が「改憲」という手続きを内在しているのはこのためだろう。

こうしたまっとうな「改憲論議」を最も阻害しているのは、安倍首相の主張、すなわち情緒的に説明され、論理的には破綻している改憲案に他ならない。

安倍首相がツイッターに投稿した動画は、こう締めくくられている。

〈ある隊員は、お子さんから「お父さん、憲法違反なの？」と言われたそうです。自衛隊の諸君が誇りをもって任務をまっとうできる環境をつくる。これが今を生きる政治家として私たち自由民主党の責務である。そう確信しております〉（二〇一八年九月一八日）

この「お父さん、憲法違反なの？」という逸話は、安倍首相の口から何度となく繰り返されてきた自慢のエピソードだ。あたかも当該自衛官本人から直接聞いたかのように話し、時には「彼（自衛官）は言うんですよ」などと旧知の仲であるかのような言いぶりで語ることさえあった。

ところが、二〇一九年二月二〇日の衆院予算委員会の場で、立憲民主党の本多平直衆院議員が「この子が実在しようがしまいが、こんな話が憲法改正の理由になること自体がとんでもなくおかしいと。（中略）この子がいたから憲法改正が必要だなどという情緒論みたいな話は問題だと思うんですけれども、一応、実話なのか」と答弁を求めた。

すると安倍首相は気色ばんで「私がうそをついているということを前提に質問をいわば組み立てられておりましたので、それはおかしいでしょう」と答え、議場が騒然となる中、こう言った。

「ご指摘のエピソードについては、防衛省担当の総理秘書官を通じて、航空自衛隊の幹部自衛官から伺った話であります」

結局は伝聞であり、自らが聞いたかのような言いぶりはまさに誇張でしかなかったわけだ。問い詰められ細部が明らかになるほどに、持論の薄っぺらさが際立つ。「自衛隊」という三文字を憲法に書き込めば、自衛隊が合憲化されるという短絡的な思考こそが、国家が保有する武力に対する畏怖が希薄であることの現れではないか。丁寧な説明を放棄し、子や父、自衛官の「誇り」といった情緒的修辞を重ね、真摯な改憲論議を阻害している。

安倍改憲とはすなわち、軽薄と邪知、狡猾(こうかつ)の産物でしかない。

2　揺るがぬ「極右」内閣

二〇一二年一二月に民主党から政権を奪取し発足した第二次安倍内閣以降、内閣改造を繰り返すも、常に通底する特徴は「極右」の二文字である。この国の最高権力者は自らの持論に近似する人員で側近を固め、異論を挟ませない布陣づくりを厭(いと)わない。

なりふり構わぬ姿勢でひたすらに目指すは悲願の「改憲」。そう装い続けることが目的となっている。

†「日本会議内閣」

二〇一二年一二月発足の第二次安倍内閣以降、七割前後が国内最大の右派団体「日本会議」の国会議員懇談会に所属している。その比率はほぼ変わらず高水準が続いている（図3-1）。安倍内閣が「日本会議内閣」と言われるゆえんだ。

ここで日本会議について触れておきたい。それは安倍政権が権力基盤を維持・強化していく上で、共に相乗効果を生み出し合っている存在だからである。

会員数は約四万人。全国各都道府県に支部を置き、毎月機関誌を発行している「国内最大の右派団体」である。

皇室を敬愛することや新憲法制定の必要性を主張し、これまで実現させた政策は国旗国歌法の制定、教育基本法の改正などがある。「国を愛し、公共につくす精神の育成をめざし、広く青少年教育や社会教育運動に取りくむ」としている（日本会議ウェブサイト「日本会議が目指すもの」より）。こうした右派運動と足並みをそろえて政策展開してきたのが安倍政権であった。

二〇一九年九月一一日に発足した第四次安倍第二次改造内閣（図3-1参照）でも、日本会議国会議員懇談会メンバーの比率は高水準が維持されている。中でも驚きをもって受け止められた人事は、衛藤晟一(えとうせいいち)参院議員の入閣であった。

衛藤氏は、二〇一二年一二月に第二次安倍政権が発足したとき以来「内閣総理大臣補佐官（教育再生・少子化担当）」という要職に就いている希有な存在であった。その入閣は、

図3－1　第四次安倍第二次改造内閣と日本会議

閣僚	日本会議
安倍晋三　内閣総理大臣	○
麻生太郎　財務大臣	○
高市早苗　総務相	○
森まさこ　法務大臣	
茂木敏充　外務大臣	○
萩生田光一　文部科学大臣	○
加藤勝信　厚生労働大臣	○
江藤拓　農林水産大臣	○
梶山弘志　経済産業大臣	○
赤羽一嘉　国土交通大臣	
小泉進次郎　環境大臣	
河野太郎　防衛大臣	
菅義偉　官房長官	○
田中和徳　復興大臣	
武田良太　国家公安委員長	○
衛藤晟一　一億総活躍担当大臣	○
竹本直一　IT 担当大臣	○
西村康稔　経済再生担当大臣	○
北村誠吾　地方創生担当大臣	○
橋本聖子　五輪担当大臣	○

（表中「○」印は日本会議国会議員懇談会に所属。2020年1月末現在。筆者調べ）

安倍政権が「次のステージに入った」ことを印象付けるに十分なインパクトがあるのだ。なぜか。

それは衛藤氏が、日本会議の源流期から右派運動の核心部で動き続けてきた人物の一人であるからだ。これまで衛藤氏は、政界で表舞台には立たず背後で右派運動と政権とをつなぐ存在として位置してきた。いわゆる日本会議の「中の人」が閣僚入りしたのはこれが初めてではないだろうか。

日本会議の源流は、一九六〇年代の学生闘争の時代にさかのぼる。現在も日本会議事務総長を務める椛島有三氏（当時長崎大学二年生）が一九六六年、右派学生らを率いて同大学の自治会トップの座に就いた。時代は日本全国の左派大学生たちが「安保粉砕」「憲法守れ！」と運動を展開しているさなかである。

このとき、この右派運動に呼応したのが、当時大分大学の学生であった衛藤晟一氏であった。結集した右派学生らは一九六八年に「九州学生自治体連絡協議会」（九州学協）を結成、翌一九六九年には全国組織「全国学生自治体連絡協議会」（全国学協）を立ち上げる。この右派運動を支えたのが、新興宗教「生長の家」の学生組織である「生長の家学生会全国総連合」（生学連）だった。椛島氏も衛藤氏も生学連のメンバーであった。この運動体が中心となって現在の「日本会議」の前身となる団体を立ち上げ、既存の保守団体に賛同を呼びかけるなどして組織化していった。

誤解があってはいけないので付言するが、「生長の家」は、創設者の谷口雅春氏が亡くなる二年前の一九八三年、政治活動との決別を宣言し、以降、現在も宗教法人「生長の家」は政治運動や日本会議とは直接の関係はない。

現在、日本会議と連携して活動している人々の中には、六〇年代七〇年代当時に椛島氏らと共に闘った面々が数多くいる。例えば、安倍晋三首相の政策ブレーンとされるシンクタンク「日本政策研究センター」（一九八四年設立）の創設者であり現在も代表者の伊藤哲夫氏もそうであるし、「安保法制」を合憲と言った憲法学者の一人である百地章（ももちあきら）氏（日本大学名誉教授）もそうである。

†極右政権からの発信

二〇一九年九月の組閣で衛藤晟一氏は「一億総活躍担当」「領土問題担当」「内閣府特命担当大臣（沖縄及び北方対策、消費者及び食品安全、少子化対策、海洋政策）」を担っている。目立った発言はないものの、日本会議と衛藤氏との関係を知る視点で見ると、その存在は閣僚の一角にあって極めて特異に映る。

これに先立つ二〇一八年一〇月に発足した第四次安倍改造内閣について「端的に言って、極右政権」と断じるのは、日本会議の動向に詳しい俵義文さん（「子どもと教科書全国ネット21」代表委員）だ。

「教育勅語を現代風に解釈したりアレンジしたりして道徳（教科）で教えることは検討に値する」。就任直後の記者会見でこう語ったのは、当時文部科学大臣として初入閣した柴山昌彦氏であった。教育勅語は、戦後間もない一九四八年に衆参両院でその排除・失効決議がなされた代物である。

「教育勅語」とは、教育の基本方針を示す明治天皇の勅語として一八九〇年に発布された「教育ニ関スル勅語」のこと。三一五文字の短い文章で、天皇への忠誠や愛国を国民道徳としている。一九三〇年代に入ると教育勅語は神聖化され、学校ではその写しが「御真影」（天皇・皇后の写真）と合わせて奉安殿という別の建物に保管された。児童、生徒は全文を暗唱させられ、その内容は軍国主義の教えと同化し、利用されていった。

教育勅語の本質は「国民主権と、個人の尊厳の否定」を前提とする。書き込まれている道徳観は、すべて「以テ天壌無窮ノ皇運ヲ扶翼スヘシ」につながっている。つまり、すべては「天皇のため」「国家のため」に行き着く仕組みが内在しているのだ。

歴史的経緯や、その本質的狙いからすれば、現代風に解釈しアレンジしたとき、それはもはや「教育勅語」ではない。それをあえて「教育勅語」と名付けて学校教育の場に持ち込むのであれば、国民主権や基本的人権の尊重といった現行憲法の基本原理と真っ向から食い違う。

教育勅語について「道徳的にいいことも書いてある」とする言説は、右派勢力によってこれまで殊更に強調されてきた。そうした経緯を熟知した上で、教育行政を率いる文科大臣が就任直後に改めて口にしてみせたわけだ。

発言は批判を受けたが、前出の俵さんは「むしろ必然。言うべくして言った」と鼻白む。

安倍政権が押し進め、二〇一八年四月から本格的に全国の小学校で教科化された「道徳」。俵さんは、「これは教育勅語を具体化させるために戦前に行われた教科「修身」の復活という企てであり、日本会議の方針でもある」と指摘する。

安倍政権は二〇一七年三月、教育勅語の利用について「憲法や教育基本法に反しないような形で教材として用いることまでは否定されない」とする答弁書を閣議決定している。

先に引用した柴山氏の発言は、氏個人の考えという範疇を大きく超え、この国の教育や社会を七十余年以前へと引き戻そうとする最高権力者の思惑の代弁であった。

†「壊憲」に等しい

二〇一八年一〇月の組閣（第四次安倍改造内閣）で地方創生担当大臣に就き、唯一の女性閣僚として取り上げられた片山さつき氏もまた、その言動に注目が集まる。二〇一二年一二月には、自民党による憲法改正の考え方について、ツイッターにこう投稿している。

「国民が権利は天から付与される、義務は果たさなくていいと思ってしまうような天賦人権論をとるのは止めよう、というのが私たちの基本的考え方です。国があなたに何をしてくれるか、ではなくて国を維持するには自分に何ができるか、を皆が考えるような前文にしました！」（二〇一二年一二月六日）

人は生まれながらにして人権の享有主体である。この前提から日本国憲法の基本的人権は構成され、最大限の尊重を必要としている。私たち国民にとって人権は、義務とトレードオフの関係ではない。例えば、憲法第三〇条に書かれている国民の義務に「納税」がある。しかし税を納めなくても表現の自由は保障されなくてはならない。こうした共通認識を持つことによって社会を築いていこうと誓ったのが現行憲法だ。いや、現行の日本国憲法云々以前に、近代国家における基礎的なルールと言った方が適切だ。「国を維持するために自分に何ができるか」という視点を憲法に書き込むこともまた「個人の尊厳」を重要視する憲法観とは相容れない。

現行憲法が掲げる崇高な理想や原理を「改憲」という手法によって根こそぎ覆そうとしているのが片山氏らの改憲観である。

†総理の手駒

二〇一八年九月二〇日の自民党総裁選で安倍晋三首相と一騎打ちとなった石破茂氏。その石破派から二〇一八年一〇月の組閣で法務大臣に就いたのが山下貴司氏だった。元検察官で前法務大臣政務官。憲法改正に熱心なことでも知られる。二〇一七年に強行採決されたいわゆる「共謀罪法」の審議では、衆院法務委員会で野党議員の質問に対し再三ヤジを飛ばしていた。

「石破派からの抜擢」などとも言われているが、ひと皮剝けば安倍首相にとても近い「石破派」、と前出の俵義文さんはみる。山下氏は、安倍首相に近いタカ派自民党議員で構成する「文化芸術懇話会」のメンバーでもある。この懇話会の初会合は二〇一五年六月に行われ、招かれた作家の百田尚樹氏が「本当に沖縄の二つの新聞社は絶対つぶさなあかん」と発言した。

「安倍政権がこれまで展開してきた数々の政策を推進するために行動を共にしてきた議員を集中させた結果が、安倍内閣の構成メンバーということ」(俵さん)

なじみ深い側近で固めた布陣の中心に座る最高権力者は、二〇二〇年一月の通常国会施政方針演説でも改憲問題に触れ、その一点に照準を合わせているかのような装いを崩さない。その日に、閉塞(へいそく)するこの社会のありようは映っているのだろうか。

3 「変える」という嘘

繰り返しになるが、安倍氏が改憲項目を四つに絞り込んだのは二〇一七年五月三日。ならばそれ以降、国会でこの四項目について具体的議論は進んでいるのか。

「変える」というのも嘘なのではないか——。

二〇一九年七月の参院選で忘れてはならない争点の一つが「憲法改正」であった。三年前の二〇一六年七月の参院選で、いわゆる「改憲勢力」と称される国会議員が衆参それぞれで「三分の二」を超え、憲法九六条の規定上「発議」できる条件は整ったとされてきた。つまり議席数で「改憲勢力三分の二」を欠くことになれば、最低でも三年間は改憲発議ができなくなる、という重要な選挙であった。結果は、いわゆる改憲勢力とされる議員数を四議席ほど割ることになった。

だが内実はもっと複雑だ。神奈川選挙区の公明党現職も、神奈川新聞のアンケートで「自民党が掲げる「改憲四項目」をどう考えますか」という質問に対し、「自衛隊の明記や合区解消のための改憲は不要」と答えていた。

本章の冒頭で述べた通り、安倍首相は二〇一七年五月三日の読売新聞で改憲を訴え、「二〇二〇年の施行を目指す」と改憲四項目を掲げたが、依然として与野党を含めた議論の積み上げを欠いている。自民党内でさえ具体的な条文案で曲折し、与党内ではいまも一致をみていない（二〇二〇年二月時点）。見切り発車によるズレは、今もなお尾を引いている。

†熟さない具体論

ズレたままにもかかわらず安倍首相だけが改憲の必要性について強弁を繰り返していることは、自民党による圧倒的一強の下にあって国会内で改憲議論が深まっていないことからも明らかだ。自民党は総裁が掲げる「四項目」について、衆参両院の憲法審査会で示すことすらできていない（二〇二〇年二月時点）。しかし改憲を押し進めたい安倍首相は二〇一九年七月の参院選で「争点は憲法改正」と言い、街頭演説でこう繰り返し訴えていた。

〈憲法の議論すらしない政党を選ぶのか。議論を進めていく、その政党や候補者を選ぶのか、それを決めていただく選挙です〉

党総裁がそうぶち上げるものの、自民党が二〇一九年六月七日に発表した参院選の公約では、軸となる六つの方向性の末尾六つめに「憲法改正を目指す」がようやく登場する。全四二ページからなる公約冊子の中で、「憲法改正」に触れているのはわずか三ページ。記述内容も、外交・安全保障や経済政策と比較してみると極めて具体性を欠き、党内で示した条文案すら書かれていない。

憲法の「三つの基本原理はしっかり堅持し、初めての憲法改正への取組みをさらに強化します」とした上で、「改正条文イメージ」として「自衛隊の明記」「緊急事態対応」「合区解消・地方公共団体」「教育の充実」という四項目を挙げるにとどまっている。

憲法に関する記述は二〇一七年一〇月の衆院選公約とほぼ変わらず、中身に具体的進展はない。党内で改憲議論をとりまとめる自民党憲法改正推進本部は月二回程度、勉強会を開いているが、参加者は多くても五〇人ほど、少ないと二、三〇人で、党所属の国会議員四〇五人のうち一割に満たないときもあるという。

二〇一九年に入ってからこの勉強会に講師として招かれたある有識者は明かす。

「議論が熟してきたとは言いがたい。いっときの盛り上がりも今は欠けていて、「議論が低調」と言われれば、その通りです」

神奈川県内選出のある自民党国会議員に、改憲論議がまったく進んでいないことについて理由を問うと、「議論を始めるところからしっかりやらなければいけない。とにかく前に進めるしかない」と口ごもっていた。

†「議論をしない」のは、どちらか?

二〇一九年七月の参院選、その公示を目前に控えた同月一日、神奈川県藤沢市内で立候補予定者一〇人によって公開討論会が行われていた。憲法について問われた自民党の候補者は件の四項目を挙げ「国会の中で、憲法審査会で、議論させてほしい」と語ったものの、そのほかの登壇者から、この四項目に賛同する声は上がらなかった。

憲法改正の必要性を強調したのはわずか一人。約二時間の公開討論会で「改憲」に費やされたのは二七分間だった。

七月四日、公示を迎え選挙戦が始まり安倍首相は福島市内で行った演説の第一声でも、「議論をしない候補者、政党を選ぶのか」と、お決まりの問いかけを繰り返し、同七日、都内での応援演説でも「憲法に自衛隊を明記する」と言い、議論に参加しない野党議員について「これは責任放棄ですよ」と声高に訴えた。そして再び「議論をしない候補者を選ぶのか」と繰り返した。同じ自民党に所属する議員でも、街頭でこれほどまで「改憲」を訴える候補は他にいない。

神奈川県内での第一声で憲法について触れたのは、むしろ「護憲派」とされる共産党や社民党の候補者であった。改憲勢力とされる自民党や公明党、維新の候補は社会保障や年金問題、消費税などに的を絞り、聴衆に語りかけていたのである。

「変えたい側」が変える内容を説明せず、「変える必要がないという側」が憲法を語るという歪な構図が浮かび上がる。

「改憲勢力が三分の二を超えた」とされる二〇一六年七月の参院選から三年半を過ぎ、安倍首相による「四項目」の表明から三年近く経った今も議論が熟してきたとは言いがたい。安倍首相が掲げてきた「九条への自衛隊明記」もこの間、全くといっていいほど具体化がみられない。

私たちに選挙で突きつけられるのは、もはや改憲の是非ではない。

「あなたは、このような不真面目で欺瞞的な自民党改憲案に賛成ですか、反対ですか」という問いだ。

†「一〇〇〇万人賛同署名」の行方

こうして、二〇一六年七月参院選からの三年半を俯瞰すると、ある疑問が浮かび上がる。

なぜ安倍首相は改憲しないのか――。

改憲発議に必要な勢力三分の二を獲得し、改憲項目を絞り込み、二〇二〇年施行という期限まで表明し、しかしなぜ歩を進めないのか。

二〇一八年三月一四日、東京・千代田区の憲政記念館には、大願成就の時が迫ったかのような高揚感に包まれていた。壇上には日の丸が掲げられ、参加者全員が起立して唱和した「君が代」が地鳴りのように響き渡る。先述した国内最大の右派団体「日本会議」が主導し立ち上げた「美しい日本の憲法をつくる国民の会」の集会が行われていた。

団体の共同代表でジャーナリストの櫻井よしこ氏が会場を右から左へと見渡すようにしてから語り始めた。

「私たちは三年半ほど前に憲法改正賛同者署名活動を始めることを決めました」

その署名とは「憲法改正　一〇〇〇万人賛同者」という運動だ。スタートしたのは二〇一四年一〇月。日本会議を中心に、賛同する数多くの右派団体のメンバーが街頭宣伝を行い、集会を開催し、賛同する神社では正月になると初詣客にも署名を求めた。

その運動がいよいよ目標の一〇〇〇万人に達し、大きな節目を迎えていた。

櫻井氏は続けた。

「一〇〇〇万の署名というのは並大抵のことではございません。日本の現状を憂い、国際社会の現状を見て、なんとしてでもこの国をもう一度しっかりした国につくり替えなければならない。そのような思いで毎日努力した結果が一〇〇〇万筆です」

いざ発議があれば国民投票で可決に持ち込む、それだけの努力をしてきたし、その準備は万端なのだと訴え、参加者の万感を刺激するかのように、櫻井氏は畳み掛けた。

「国民の命を守り、生活を守り、国土を守り、平和を守る。そのために私たちは憲法改正に手を付けなければなりません」

参加者の喝采を浴び、さらにこう力を込めた。

「一〇〇〇万人署名に込められた心を大事なものとして、ぜひ今年（二〇一八年）か来年のうちに憲法改正を発議し憲法改正を実現していきたい」

すべては予定通りに進んでいるという自信に満ちあふれていた。

†国民投票を見据えた周到な戦略

だが改憲案を巡る安倍晋三首相の提案と、櫻井氏らの「国民の会」の間に横たわる大きな矛盾から、私は目を逸らすわけにはいかなかった。

一〇〇〇万人署名の用紙には改憲内容として七項目を示し、九条については、「九条二項を改正し自衛隊を明記する」と書かれている。既述したように「自衛隊違憲論」の源泉は九条二項の「戦力の不保持」規定にある。安倍首相はしかし「九条一項二項を変えずに自衛隊を明記する」という改憲案を主張している。

九条二項を変えるのか、変えないのか。その隔たりは明らかだった。

櫻井氏は壇上でこう語っていた。

「変えることができるところから、変えていかなければならないと思います」

「一〇〇〇万人賛同者」運動は、単なる署名集めではない。その署名用紙の末尾には、こういう記載がある。

「ご賛同者の皆様には、国民投票の際、賛成投票へのご賛同を呼びかけさせていただくことがあります」

名前のほか、住所や電話番号を記載する欄もある。いざ憲法改正の国民投票になった際には、電話やダイレクトメールで賛同を求める仕組みが内在している。つまり一〇〇〇万人分の「名簿」が収集されているというわけだ。

日本会議の関係者によると、賛同を求める際には「二人の賛同者を集めてください」と依頼するという。現在、日本には約一億人の有権者がいる。近年の選挙では、投票率六〇%を超えることはほぼない。つまり投票に行くのは最大でも六〇〇〇万人となる。憲法改正の国民投票は、有効投票数の過半数の賛成で実現する。つまり三〇〇〇万人が賛成すれば改憲される。

一〇〇〇万人が二人の賛同者を集めれば、三〇〇〇万人の賛成投票が得られるという算段だ。この賛同者集めに二〇一四年一〇月から取り組んできた日本会議を中心とする組織の周到さには、恐るべきものを感じざるを得ない。

†権力基盤の維持

「美しい日本の憲法をつくる国民の会」は一〇〇〇万人の賛同者を集め、九条改正にまつわる細かい矛盾にはこの際こだわらず「変えられるところから変える」と言い募っている。だが実際には二〇一六年七月の参院選以降も、国会での議論は一歩も進んでいない。

これは「右派への欺き」ではないか。

安倍首相は左派には九条に自衛隊と書き込んでも「何も変わらない」と言い、右派には「私の手で変える」と声高に強調し、しかしこの三年余りもの間に何らの具体化も進んでいない。選挙のたびに公約に書き込み、街頭では力強く語るものの、その中身が具体的に示されたことはない。徹頭徹尾、不真面目で欺瞞的であり、浅薄であるとしか言いようがない。

憲法改正の手続きで「発議」に至るには、実は二つのルートが用意されている。

一つは王道。衆参両院にそれぞれ常設されている憲法審査会の中で改正の案文を議論し原案をまとめ、それを「憲法改正原案」として国会に提出する。

もう一つは、衆院で一〇〇人、参院で五〇人の議員の賛同を得て憲法改正原案を国会に提出するルートだ。いずれもその後、衆参両院でそれぞれ三分の二以上の賛成多数で「発議」することになる。つまり後者、プランBであれば自民党議員だけで改正原案を国会に提出できる。そこから発議に至ることができるかどうかは水面下での切り崩し次第であろうが、そうした個別交渉が繰り広げられているという話は、聞いたことがない。

七年余り権力を手中にしてきた為政者は、この間に一体何をしてきたのか。浮かび上がるのは改憲さえも「権力基盤を維持するための方便」だという欺瞞である。

経済を掌握し、右派勢力を「改憲」という言葉で搦めとる。そうして構築してきた「仲間」をひたすらに優遇し、より一層、権力基盤を強固にしていく。この七年間とはそうした営みのなれの果てではないのだろうか。

4 「平和の国体」どこへ

天皇が生前退位するという約二〇〇年ぶりとなる異例の形で、二〇一九年五月一日、元号が令和に変わった。変わったのは元号だけだろうか。安倍政権と右派の欺瞞について考えるテーマとして、改元の節目に、この国の「国体」について思索を巡らせてみたい。

†天皇が求めた「国民の理解」

天皇制の維持と、退位制度の創設について強く思いをにじませたビデオメッセージが流れ、そして「平成」は終わり、「令和」へと時代が変わった。

この異例の「改元」は、二〇一六年八月八日の「お言葉」から始まった。

〈即位以来、私は国事行為を行うと共に、日本国憲法下で象徴と位置づけられた天皇の望ましい在り方を、日々模索しつつ過ごして来ました〉

〈日本の皇室が、いかに伝統を現代に生かし、いきいきとして社会に内在し、人々の期待に応えていくかを考えつつ、今日に至っています〉

〈私はこれまで天皇の務めとして、何よりもまず国民の安寧と幸せを祈ることを大切に考えて来ました〉

平成の天皇は神妙な面持ちで、憲法上、国政に関する権能を有しないことにも言及した上で、選び抜いたであろう言葉の一つ一つを語った。

「体力の面」「体力の低下」「天皇が健康を損ない、深刻な状態に立ち至った場合」について懸念を示し、健康上の問題が起きたとき、これまで追求してきた「象徴としての役割」を果たせなくなるとし、最後にこう締めくくった。

〈国民の理解を得られることを、切に願っています〉

†反省と低頭の旅

かつてこの国は「天皇を中心とする国」であった。

「天皇」は神聖不可侵であり、国の元首にして統治権を一手に掌握する存在であった。天皇の名の下に、アジア諸国を植民地支配し、無謀な戦争へと突き進み、そして国は焦土となった。あがめた国体をも喪失しかねない窮地へと追い詰めたのは、他ならない時の為政者たちであった。

平成の天皇が「お言葉」の中で強い思いを込めて語った「象徴としてのお務め」は、その大日本帝国による加害の歴史について、諸国を訪問し、反省を述べ、低頭する旅でもあった。

「不幸な戦争の惨禍を再び繰り返すことのないよう」（一九九一年、タイ）、「我が国が中国国民に対し多大の苦難を与えた」（一九九二年、中国）、「九〇〇〇人を超える島民が戦闘の犠牲となったことも決して忘れてはならない」（二〇〇五年、サイパン）——。

再び戦争の惨禍を繰り返してはならないという祈りは、平成の天皇が「日本国の象徴であり日本国民統合の象徴」（憲法第一条）として約三〇年にわたり取り組んできたことだった。

戦前と戦後の天皇と、日本のありようを見わたすと、そこに国体の変遷を読み取ることができる。戦前の国体が「天皇を中心とする国」であったとしたら、戦後の国体とは非戦と反戦、つまり「平和を追求する国」だったのではないだろうか。

「平和」の裏側に

憲法前文を改めて読んでもらいたい。七十数年前、あの焦土を前にして私たちは何を誓ったのか。時代が移り変わった今、もう一度目を凝らしたい。

【政府の行為によつて再び戦争の惨禍が起ることのないやうにすることを決意し、ここに主権が国民に存することを宣言し、この憲法を確定する】

【日本国民は、恒久の平和を念願し、人間相互の関係を支配する崇高な理想を深く自覚するのであつて、平和を愛する諸国民の公正と信義に信頼して、われらの安全と生存を保持しようと決意した】
【われらは、平和を維持し、専制と隷従、圧迫と偏狭を地上から永遠に除去しようと努めてゐる国際社会において、名誉ある地位を占めたいと思ふ】

憲法九条にはこうある。

【日本国民は、正義と秩序を基調とする国際平和を誠実に希求し、国権の発動たる戦争と、武力による威嚇又は武力の行使は、国際紛争を解決する手段としては、永久にこれを放棄する】
【② 前項の目的を達するため、陸海空軍その他の戦力は、これを保持しない。国の交戦権は、これを認めない】

しかし戦後、日本の国体とも言うべき「平和」は揺らぎ続けてきた。この題目の裏側には常に「日米安保体制」と、自衛隊という「軍事」が付きまとい続けてきたからだ。

一九六〇年、七〇年と日米安全保障条約が改定され、この間に自衛隊の装備や位置付けも大きく変質し、その軍事力は世界屈指となった。軍事と表裏一体にある日本の「平和」を一変させたのは二〇一四年七月一日、安倍晋三内閣による閣議決定であった。

安倍首相はこうして、戦後堅持し続けてきた歯止めの一線を突破した。集団的自衛権の一部行使を容認する内容だった。

〈いかなる事態にあっても国民の命と平和な暮らしは守り抜いていく。内閣総理大臣である私にはその大きな責任があります。その覚悟の下、本日、新しい安全保障法制の整備のための基本方針を閣議決定いたしました〉（同日、首相記者会見より）

いかに軍事力を強化しようとも、「専守防衛」つまり、自国が攻撃されなければ反撃しないという憲法九条から導かれる「自衛権の範囲」を、安倍政権という戦後の一内閣が突破した瞬間であった。

この閣議決定に基づき二〇一五年九月には「安保法制」が強行採決された。数万人規模のデモが幾度も国会周辺を埋め尽くし、ほぼ全ての憲法学者が「違憲だ」と声を上げ、数多くの団体や組織が声明を発表し阻止しようと動いたが、安倍政権はそうした声を聞き入れることなく採決を断行した。

†軍事国家への道

変遷を遂げてきた「平和」という国体はいま、大きく捩じ曲げられようとしている。

安倍首相は「平和主義」の源泉である憲法九条に「自衛隊」という文字を書き加え、形式的に合憲化しようともくろんでいる。

安倍首相はまた、一九七六年に三木武夫政権が閣議決定した「防衛費は国民総生産（GNP）の一％を超えない」という規範についてさえ撤廃を示唆している。国会で「安倍政権にはGDPの一％以内に防衛費を抑える考え方はない」と答弁した（二〇一七年三月二日参院予算委員会）。

「平和」を追求するという国体をかなぐり捨て、歯止めなき軍事国家への道を進む為政者が示す「この道」とは、いかなる道であろうか。経済では「成長」を意味し、社会分野では「競争」と「自己責任」、そして政治分野ではさらなる「軍事国家化」「対米国従属国家化」を意味している。

問われているのは私たちだ。そうした「道」を示し、「これしかない」と断じる為政者を漫然と支持していていいのか。道連れにされるのは、他ならぬ私たち市民である。

5　剝がれた保守の仮面

天皇制の維持と退位制度の創設に強い思いをにじませ、「国民の理解を得られることを、切に願っています」と締めくくった平成の天皇による「お言葉」であったが、安倍政権は退位制度を恒久化することなく、「一代限り」の特例法によって退位を認める形で解決した。これが異常な解決策であったことを記憶にとどめておきたい。

憲法は皇位について、こう定めている。

【第二条　皇位は、世襲のものであつて、国会の議決した皇室典範の定めるところにより、これを継承する。】

現行制度にない天皇の生前退位を新たに認めるのであれば「皇室典範」を改正するほかない。だが政府はその憲法に明記された方法を採らなかったのだ。このやり方に、天皇の歴史や制度に詳しい高森明勅（たかもりあきのり）氏は「遺憾だ」と憤りをあらわにする。

「天皇の地位と、その尊厳にかかわる問題。皇室典範の改正が唯一の選択肢だったはずだ」

天皇が終身在位する制度は、過去の天皇の歴史からすればむしろ異例で、生前退位が標準的な皇位継承の形だという。ではなぜ一代に限り有効な特例法による退位と即位という方法が採られたのか。

†皇室への屈折した敬愛

そこには「天皇への敬愛」を掲げる人々の内心に巣くう屈折した思いが透けてみえる。皇室典範の改正に手を付けることは、女性・女系天皇を認めるか否か、という一度蓋をした問題を再び蒸し返してしまうからだ。

宗教学者で国家神道に詳しい上智大学の島薗進教授はこう指摘する。

「とにかく皇室典範を変えたくない、という方々がいる」

明治以前は側室を認め、明治天皇も大正天皇も側室から生まれている。だが大正天皇のときから一夫一婦制となり、戦後の皇室典範では側室を認めなかった。この時点で、男系を維持し続けることは現実的に困難となった。

二〇〇五年には当時の小泉純一郎首相が有識者会議を設置し、女性・女系天皇を認める報告書をまとめている。しかしその後皇室典範の改正議論は棚上げにされたままだ。

二〇一六年八月八日の「お言葉」に端を発する生前退位を、皇室典範の改正によって行おうとすれば、うやむやにして先送りしてきた「女性・女系天皇」案に議論が及ぶことは避けられなかったはずだ。

平成の天皇は「お言葉」の中で慎重に言葉を選び、こう語りかけた。

〈天皇という立場上、現行の皇室制度に具体的に触れることは控えながら、私が個人として、これまでに考えて来たことを話したいと思います〉

あえて付言した上で、「象徴」としての取り組みやその継続について懸念を表明し、生前退位の制度化を強くにじませるように、こう語りつないだ。

〈皇室がどのような時にも国民と共にあり、相たずさえてこの国の未来を築いていけるよう、そして象徴天皇の務めが常に途切れることなく、安定的に続いていくことをひとえに念じ、ここに私の気持ちをお話しいたしました〉

ここまで言い含めたにもかかわらず「一代限り」の特例法による生前退位しか認めなかった安倍政権に、私は「保守」という仮面の剥落をみる。

表面的に「天皇」への敬愛を示し、為政者の意思に国民を従わせるために都合よく天皇の神聖な権威を利用する。それは安倍政権を支持する人々や、憲法改正を訴えている日本最大の右派団体日本会議のありようにも通底する所作である。

†不誠実な保守運動

「日本会議が目指すもの」——。

公式ウェブサイトに掲げられたそのページの冒頭には「美しい伝統の国柄を明日の日本へ」と題された一文がある。

「皇室を敬愛する国民の心は、千古の昔から変わることはありません。この皇室と国民の強い絆は、幾多の歴史の試練を乗り越え、また豊かな日本文化を生み出してきました」

「一二五代という悠久の歴史を重ねられる連綿とした皇室のご存在は、世界に類例をみないわが国の誇るべき宝というべきでしょう。私たち日本人は、皇室を中心に同じ民族としての一体感をいだき国づくりにいそしんできました」

「皇室を敬愛するさまざまな国民運動や伝統文化を大切にする事業を全国で取り組んでまいります」

「皇室への敬愛」を掲げながらも、その維持継続に向けて本質的な制度改正に取り組まない安倍政権や日本会議の姿勢は、不誠実という言葉がふさわしい。これは、日本の国体ともいうべき「平和」や、その源泉である「憲法」に対する姿勢と相似形にある。

†姑息な改憲案

第1節でも言及した自民党の下村博文憲法改正推進本部長は二〇一九年二月、那覇市での講演でこう述べたという。さらに、国会での憲法改正発議や、国民投票で賛成を得る必要があることを指摘し「われわれは学者ではなく政治家。リアリスト（現実主義者）でなければいけない」と強調し、九条二項を改正せずに自衛隊を明記する案を挙げ「自衛隊違憲論に終止符を打つ」と話した。

「（憲法への）国防軍の明記は不可能だ。各政党や国民の理解は得られない」

戦争の放棄を定めた九条一項、戦力不保持を定めた同二項前段を維持した上で、自衛隊を保持する規定を「九条の2」として新設する内容だ。この安直にして姑息、不誠実にして裏切りのような改憲案を支持する姿勢こそが、安倍政権とそれを支持する勢力に通ずる特徴と言える。

既述したところだが、「自衛隊違憲論」の原点は九条二項前段の「戦力の不保持」規定にある。自衛隊がこの「戦力」に当たるのではないか、という疑義は九条二項に根拠がある。そのことを最も研究し、熟知し、だから「九条二項を改正し、自衛権を定める」という改憲案を練り上げてきたのは、他ならぬ自民党である。

そうした先人の積み上げを一蹴し、「現実的に改憲するため」と言い、「自衛隊」という三文字を条文に付け加えれば自衛隊が合憲化されるという説明は、明らかに論理破綻している。

平成の締めくくりと新しい令和の始まりにおいて、「国体」の核心をなす平和憲法までもが、軽薄で不誠実な為政者とその支持勢力によって、変えられようとしている。

†「改憲」という砦さえ落とせれば

なんとしても憲法改正を成し遂げたい右派勢力は、今どのような動きを見せているか。

悲願達成のために、感情的に抵抗の少ない選択肢を編み出し、違憲ではないものを違憲と言い募り、破綻した論理で私たちに問いかけてくる。俯瞰してみればいかに腐心しているかが垣間見え、滑稽でさえある。

「一回の憲法改正で完璧に一〇〇点になるとは考えられません。なんといっても改正を実現しなければならない。そのためには国民投票で過半の賛成を得なければならないという現実があります」

先述した日本最大の右派団体「日本会議」が主導して設立した改憲のための団体「美しい日本の憲法をつくる国民の会」（以下、国民の会と略）。その共同代表である櫻井よしこ氏が二〇一九年四月二五日、記者会見し、マイクを握っていた。

安倍晋三首相と自民党による「自衛隊を合憲化」する改正案についてその矛盾を問うと、櫻井氏はこう答えた。

「矛盾しているようにも思うかもしれません。しかし国民感情として九条二項をいますぐ改めることはできない」

そうした現状を踏まえ「自衛隊が違憲ではないということを担保するために」安倍改憲案に賛同すると言った。

†論理の逆進

「国民の会」については一部既述したところだが、もう少し書き加えておきたい。

日本会議が主導して二〇一四年一〇月に立ち上げた「国民の会」の協力・賛同団体には、保守系宗教団体や、自衛隊のＯＢ組織である「隊友会」、日本青年会議所（ＪＣ）など幅広く諸団体が名を連ねている。その共同代表には櫻井氏のほか、日本会議会長の田久保忠衛氏、日本会議名誉会長の三好達氏が肩を並べる。事務局長には日本会議事務総長の椛島有三氏が就いている。

「憲法改正を実現する一〇〇〇万人ネットワーク」

そう銘打って発足当初から神社の境内や駅前、集会やシンポジウムで「署名」を集め続けてきたことは、前述した通りである。掲げてきた改憲項目は七つ。その三つ目が九条改正だ。

「九条は、一項の平和主義は堅持し、二項では自衛隊の憲法上の規定を明記しましょう」

二〇一四年一〇月時点では、日本会議と「国民の会」は、九条二項の改正によって自衛隊を合憲化するべきだと考えていたわけだ。櫻井氏も吐露する。

「（九条二項改正論は）論理的には一理ある」

この方針が一変するのは二〇一七年五月三日。読売新聞第一面に安倍首相のインタビューが掲載され、そこで「九条一項二項を改正せず、自衛隊を明記する」という新たな考えが示されたからだった。日本会議も「国民の会」もこのころから明確に、これまでとは論理的には食い違う九条改正の主張を始める。

†違憲状態を自称した初の首相

日本会議は、東アジアの安全保障環境は激変していると主張している。憲法記念日の二〇一八年五月三日に開催した恒例の「公開憲法フォーラム」では、「風雲急を告げる東アジア情勢」と鬼気迫るタイトルを打ち、「韓国海軍によるレーダー照射事件、北朝鮮による核開発、中国による海洋覇権の拡大など、わが国を取り巻く東アジア情勢は風雲急を告げています」と参加を呼びかけていた。

しかし、現状を危機的に認識しているのなら、なおさら九条二項の「戦力の不保持」規定について正面から議論を重ね、自衛隊の存在を憲法上どのように位置づけるのかを示すのが本筋ではないか。裏口入学のように、本音をひた隠し、「九条二項」を残した形で自衛隊を合憲化するような手段は不誠実極まりない。

政府も自民党も自衛隊は合憲とし、櫻井氏も「国の自然権として国や国民を守ることは当然認められる」としている。国民からの支持も高い自衛隊をあえて、その場しのぎの姑息な方法で憲法に明記しなければならない理由は到底見当たらない。

安倍首相は改憲の理由として「憲法学者の約七割が自衛隊は違憲だと解釈している」こ

とを挙げているが、そもそも憲法学者の主張など一顧だにしないというのが安保法制の審議過程で一貫していた安倍首相の基本的姿勢だったはずだ。さらに、「合憲化しよう」という主張は、「自衛隊は違憲かもしれない」という前提に立たなければ成立しえない。そもそも現行憲法下にあっても自衛隊は全く矛盾がない合憲の存在であるという政府・与党の立場を逸脱する主張を、内閣総理大臣であり自民党総裁である人物が口にする倒錯状態に直面し、言葉を失う。

そして、多くの人が「自衛隊は合憲だ」と言えば言うほど改憲の必要性を失っていくという奇怪さがここにある。「自衛隊は違憲かもしれない」と一人で再三言い募り、自衛隊の「誇り」を傷つけ続けているのは、渦中の安倍首相とそれを支持する勢力に他ならない。当事者たちにその自覚はあるのだろうか。

†平和の本質を問う

マイクを握る櫻井氏は、穏やかに、それでいて耳を傾ける記者たちを諌めるように、語り掛けるのであった。

「憲法改正に当たり、また、新しい令和という時代に入るに当たり、日本人が「わが国はどういう国なのか」という、日本の国柄をしっかり考えてもらいたい。令和という時代は、国の形というものを多くの国民が考え理解し意識していく時代になってほしいと考えています」

この国の国柄、つまり「国体」は「平和を追求する国」であると私は思う。

櫻井氏は言う。

「平成の三〇年間は戦争のない、平和な時代でした」

平和とはしかし、単に「戦争のない状態」のことだけを意味する薄っぺらなものではない。一人一人が個人として尊重され、将来不安を抱くことなく生きていくことができ、差別のない社会。他国と争うことなく協調しながら国際社会を築き上げていく営み。「平和」にはそうした多様で幅広い意味が込められ、そして憲法に刻まれている。平成の天皇が「象徴」として祈り続けてきたのもまた、その営みの形であったのだろう。「皇室への敬愛」を語る保守であれば、なおさら「平和」の本質について、過去の近隣諸外国への蹂躙の歴史について思いを馳せなければなるまい。

戦争の惨禍と、途方もない加害と苦痛の歴史、そこを始点として歩んできた戦後と憲法。先人たちの失敗と痛烈な反省から生まれた非戦の誓いを忘れてはならない。

「令和」を迎え、時代が移り変わるこのときに、もう一度「平和」の価値と意味を見つめ直したい。

第四章
国家の末期

米軍基地移転の埋め立て工事のために、土砂を積んだトラックが列をなす
(2018年6月28日、沖縄県名護市工事ゲート前にて)

1　政権の膿を曝け出した「桜を見る会」

前章まで、働く人の現場やアベノミクスの内実から「社会」や「経済」の状況をみわたし、安倍晋三首相による憲法改正議論を軸に「政治」の屈折した奇怪をみてきた。

迷走する経済政策は「破綻」のときを先送りし続けることを宿命づけられ、市場にマネーを送り続ける。政界も経済界も、さらに多くの市民もが異議を唱えはしない。異次元の金融緩和というパッケージは、財務省による財政政策と、日銀による金融政策によって行われている。この原動力を、私たち一般市民が選挙などの民主主義を通じて修正することは極めて難しい。

市民の多くは「消費増税」に対しては反対の声を上げるが、より深刻なアベノミクスの異常性を指摘したり、継続を止めようと声を上げたりはしない。それはきっと明日の生活に直結していないからだろう。安倍首相が掲げる憲法改正もまた同じ構図の中にある。

こうした肌身で感じられない「為政者による国家の破壊」は財政を着実に蝕み、社会の規範を毀損し続けていると言っていい。そしてこれらは全て、一連の流れの中で生まれ、相互に連関し合いながら次の段階へとスケールアップされようとしている。

並べ立てるまでもない。二〇一二年一二月に第二次安倍政権が発足した直後にアベノミクスはスタートし、約一年半後の二〇一四年七月一日に集団的自衛権の一部行使を容認する閣議決定を行い、二〇一五年九月に強行採決され安保法制は成立した。二〇一七年にはいわゆる「共謀罪法」を成立させた。二〇一八年には世に言う「森友・加計学園問題」が紛糾し、二〇一九年末以降は「桜を見る会」問題や、カジノを含む統合型リゾート(IR)を巡る贈収賄問題が紛糾している。

だが重要閣僚がその座から降りることはない。居座り続ければそのうち問題案件は霧散する、と信じて疑わないのだろう。金融緩和を続け、マネーを市場に注入し続け、株価が維持されていれば支持率は大して下がらない、とも思っているはずだ。

こうして、箍は外れ、底は抜けた。

†隠蔽してやり過ごす

二〇一九年一一月。私たちはその崩壊の形をまざまざと目撃した。「桜を見る会」を巡る問題は、究極的に徹頭徹尾、不条理と欺瞞の塊である。

そもそも問題の出発点は、予算に比べて支出が膨大に膨らみ、二〇一四年の支出額が約三〇〇〇万円だったのに対し、政府は二〇二〇年度予算について五七二九万円を概算要求した。これに対して野党が「なぜ費用がこれほど嵩(かさ)んでいるのか」と追及し、政府はこう回答していた。

「テロ対策を強化したことなどで費用が増加している」

招待者数は年々増えて一万八二〇〇人に達し、そのうちの数千人は安倍首相や昭恵夫人の招待枠で、後援会や地元の支持者、昭恵夫人と名刺交換をしただけの人などが招かれていたことが明らかになっていった。

誰が、誰を、このような大人数を、なぜ、招いていたのか――。

「桜を見る会」は本来、近年に功績や功労のあった方々を「内閣総理大臣」がお招きするという一九五二年から続く公的行事である。しかしその実態は、懇意の「お仲間」をねぎらうイベントとして安倍首相が私物化したものとなっていた。

野党が内閣府に対して、問題の「招待者名簿」を二〇一九年五月に資料要求したところ、内閣府は要求があった約一時間後にシュレッダーで廃棄していた。その時点で電子データのバックアップは残っていたが、それもさらに事後に消去したと政府は説明している。

参加者の中に「反社会的勢力」のメンバーが含まれていたという疑いも出てきた。ネット上に菅義偉官房長官とツーショットで写っている写真が掲載されていたことで発覚したという。これについて問われた菅官房長官は「結果的には（反社会的勢力の人が）入ったのだろう」と言った（二〇一九年一一月二六日の記者会見）。招いたのも、入場させたのも政府であるにもかかわらず、まるで他人ごとのような言いぶりであった。

まだある。「桜を見る会」の前夜祭が「安倍晋三事務所」の主催で「ホテルニューオータニ」（東京都千代田区）で行われ、約八〇〇人超が訪れたという。この前夜祭は、「桜を見る会」とは異なり、主催は「安倍晋三衆院議員」とその事務所であるから、疑惑は安倍晋三衆院議員その人に向けられている。

東京都内では言わずと知れた名門ホテルで行われた飲食を伴うパーティーの会費が一人当たり五〇〇〇円だったという。「安すぎるのではないか」と批判を受けたが、安倍氏側は「ホテルとの契約の当事者はあくまで個々の参加者だ」（二〇二〇年一月三一日参院予算委員会）などと説明し、ホテル側に明細書の再発行を求めることもしていないという。

安倍首相は一切具体的な証拠を示すことなく「問題なかった」「適切に処理した」と強弁を重ねている（二〇二〇年二月時点）。

招待者名簿をシュレッダーで廃棄したことについては「あらかじめ決められた手続きに沿って廃棄したもので」隠蔽ではないと説明し（二〇一九年一一月二七日、菅官房長官が参院本会議にて）、さらには「反社会的勢力」の定義について「その時々の社会情勢に応じて変化し得るものであり、限定的・統一的な定義は困難」とする答弁書を閣議決定した（同年一二月一〇日）。

政府が「反社会的勢力」について過去の使用例と意味を野党議員からの質問主意書で問われると、「政府の国会答弁、説明資料などでの使用のすべての実例や意味について、網羅的な確認は困難」と回答した（同日、毎日新聞）。「桜を見る会」を巡る不可解な説明は、すべて言及しえないほど多数にわたり、そのやり口は多面的かつ多様だ。

政府が廃棄した招待者名簿にはバックアップデータが存在していた。そのデータを管理していた内閣府では、「シンクライアント方式」という仕組みを使っている、と安倍首相は二〇一九年一二月二日の参院本会議で説明した。この方式はデータを個々の端末に保存せず、サーバーにアクセスする形で利用者はデータを引き出し、その都度、更新・保存されていく。新たに更新・保存されたデータは自動的にさらに別のサーバーへとバックアップされていく二重、三重の構造となっている。つまりデータはいまもどこかに残っている可能性があるというわけだ。

ところが安倍首相は国会で「シンクライアント方式であるから、端末にデータは保存されておらず、サーバーのデータを破棄後、バックアップデータの保管期間を終えた後は復元は不可能だとの報告を受けています」と、まったく真逆の説明を展開してみせた。ついに同年一二月一〇日に、電子データについて「復元することは考えていない」とする答弁書を閣議決定までした。

†黙殺してやり過ごす

一つ一つが追及されるべきところだが、まさかそんな説明で押し通せるはずはないと思える詭弁を弄し、周囲が唖然としている間に、次々に「終わったこと」としてやり過ごしていく。年が明けた二〇二〇年一月の通常国会で、自民党の二階俊博幹事長は「桜はもう散った。早くこの問題から次の建設的な議論に移していかないといけない」と語ったという(二〇二〇年一月二二日、産経新聞)。

「桜を見る会」を巡って湧いた疑惑の数々は、表面的に見れば些細な問題かもしれない。いや、事実関係を示す核心的証拠のほぼすべては「廃棄した」ことにされてしまったため、事案が「些細」かどうかも含めて闇の中である。ただ、現時点で判明している事実だけから判断しても、この問題は看過できないほど重大である。

国のトップと周辺が、論理的にも合理的にも、感情的にも社会通念からしてもあり得ない説明を繰り返し、「そんなことがまさか……」と誰しもが呆然とするようなことを言い、指摘や批判を受けても「問題ない」と一蹴し、そのまま権力の座に居直り続けることが可能となっているからである。桜を見る会を巡る問題は、これまで安倍政権が塗り重ねて露見しないように消し去ってきた様々な問題の膿を一挙に曝け出すような構図となっている。

厚顔無恥を具現化するような権力が、閉塞感が満ちるこの社会にあってそれでも権力基盤を維持しようとすれば、次にやることは何か。「ナショナリズム」の刺激と、権利や自由の圧殺である。

2 圧政の現場、辺野古から

「桜を見る会」から透けて見える「隠蔽して、黙殺してやり過ごす」という安倍政権の基本姿勢が最も先鋭的かつ攻撃的に表出し、強硬政策をぶつけてくるのは沖縄の辺野古に他ならない。「国策には逆らうな」「黙れ」という暴力が日常的にまかり通っている。

二〇一八年六月末、米軍普天間基地の移設に伴う名護市辺野古沖の埋め立て工事において土砂搬入が始まろうとする直前、埋め立ての賛否を問う県民投票の実現に向けて署名活動が展開されていた時期に、私は辺野古を取材する機会を得た。

そこでみたのは、暴走する権力の矛先がむき出しとなった鋭利な先端であった。

†権力者による暴力の形

梅雨が明け、灼熱の日差しがアスファルトを焼く二〇一八年六月末の沖縄・辺野古。米軍の新基地建設が進む工事ゲート前に、濃紺の出動服を身にまとった二〇人ほどの機動隊員が列をなして現れた。

「美ら海を壊すなー」「新基地建設に反対だ」。およそ五〇人ほどが座り込み、拳を突き上げ、声を合わせていた。機動隊の隊長が人々にメガホンを向けて早口でまくし立てた。

「警告します。道路に座り込む行為は道路交通法の禁止行為に該当します。速やかに立ち

路上で抗議活動をしていた人を機動隊員が数人がかりで運び去った（2018年６月28日、沖縄県名護市）

上がり、歩道上へ移動してください。警告に従わない場合は部隊規制をもって移動させます」

数分のうちに数回繰り返し、突然、こう言い放った。

「はい！　部隊規制開始」

号令と同時に機動隊員が一斉に動く。人々を両脇から抱え、足を持ち上げて運び去る。

「埋め立て反対だ！　基地反対だ！」。初老の男性が声を張り上げ、訴える。

動かないなら、動かすまで、とばかりに若い機動隊員が腕力をもって自由を奪う。そこに一切の躊躇はない。一〇メートルほど離れたところにある柵で囲まれた一画に人々をすし詰めにしていく。明確な理由の説明もなく、人を拘束する。権力が民意を圧殺する現場で、その暴走を目の当たりにする。

強権の発信源は他でもない、この国の最高権力者たる安倍晋三首相であり、彼が統べる政府だ。

†「大変なことになるよ」

背後で怒号が響いた。

「道路上に出ないでください！」。私に向けられている。

機動隊員が、抗議の声を上げている初老の男性を羽交い締めにして持ち上げ、強引に移動させる様子を写真に収めようと、カメラを構えてシャッターを切っていた私を怒鳴っているのだった。

現場は、道路と歩道、そして新基地建設現場のゲート前という奥行きわずか一、二メートルの場所だ。一歩踏み出れば道路上だし、片方に寄れば座り込みをしている人たちの空間となる。突き飛ばされ揉みくちゃになりながら写真を撮っていると、気付けば、座り込みをしている人々と、機動隊員の隊列との間にできたわずか一メートルほどの隙間に押し出された。

機動隊員の制止に遭う市民（2018年６月28日）

「邪魔しないでください。警告したからな！」と隊長のメガホンは私に向けられた。何がなんだか分からない。

「ちょっと待って。邪魔してない。道路に出るなと言うから……」という私の声を遮るようにして、隊長は「部隊規制中だ！　繰り返し警告しました」と一方的に言い放ち、私の頭を指さした。直後、背後にいた機動隊員が私の左腕をぐいっとつかんだ。

「ちょっと待って」と声を出し、身をよじったが、強引に引きずられ一気に数メートル、体を持って行かれた。まずい——。

　そこへ、小柄な男性が立ちふさがった。腕をつかむ機動隊員の手に、自らの手を重ねて、緊張した声で隊員に語りかけた。

「この人を拘束したら、大変なことになるよ。神奈川から来てるんだよ。記者なんだよ」

声の主は沖縄平和運動センター議長の山城博治さんだった。

機動隊員は無言で手を離し、どこかへ行ってしまった。

†異国ではなくこの国で起きていること

砕石を積んだダンプやコンクリートミキサー車が午前九時、正午、午後三時の一日三回、合計すれば四〇〇台近く工事ヤードへ入っていく。そのたびに抗議の市民が座り込み、腕を組み、声を上げる。

閉ざされたゲートを見つめ、山城さんが言った。

「国策には抗うなというメッセージなんだろうな。機動隊の暴力にひたすら耐える。でも五分や一〇分足らずで全員引っこ抜かれる」

抗うこと自体を諦めさせることが狙いで、人の心を蹂躙することが目的化している。二重の暴力が日々繰り返されているのだった。山城さんは、だから現場に立ち続ける。

「排除されたらまた座ればいいんだ、ケセラ・セラ（なるようになる）だ、と言い聞かせて今までやってきた」

山城博治さん（2018年６月28日）

沖縄の平和運動を率いて一〇年余り。二〇一六年には、本島北部の高江（たかえ）で、米軍北部訓練場の有刺鉄線を許可なく切断した容疑などで逮捕され、五カ月間にわたり身柄を拘束された。二〇一八年三月には、懲役二年、執行猶予三年の有罪判決を受けた。

沖縄の基地反対運動のリーダー的存在は眉根を寄せ、私に言った。

「日々の生活が大事なんだ。間違ってはいない。本土の人も沖縄の人も、気が重くなるような情報は聞きたくない、知りたくないこともあるだろう」

でもね、と続ける。

「そこで惹起（じゃっき）されている問題について、全く無関心というのは困る。沖縄の問題、福島の問題、東京の新大久保や大阪で行われている在日韓国朝鮮人を差別する排外の動き。他にも大きな問題が身の回りでごろごろしている。それでも「知らない、聞かない、関係ない」で済ますことを続けていれば、回り回って必ず自分に降りかかってくる」

これは、遠く異国の地で起きていることではないのだ。

†「言うことを聞け」「諦めろ」の矛先

非正規雇用が無制限に拡大し、働く仲間の賃金が上がらない。長時間労働で過労死や自殺が止まらない。公文書は改竄され、自衛隊の日報は隠蔽され、事務次官がセクハラをしても大臣は辞めない。数万人が国会前を埋め尽くし、抗議しても一顧だにしない。

山城さんは言う。

「こんな状況で「政治的、社会的な問題に首を突っ込まない」なんてことを言っていると、間違いなく自分にどんどん突き付けられる。軍事費が突出すれば必ず別のところが削られる。年金支給年齢が七五歳に引き上げられるかもしれない。医療費の窓口負担も天井知らずで上がっていくかもしれない。そんなことになったら、人は人としてまっとうに暮らせなくなるだろう。ここ辺野古で起きていることと、根っこは同じなんだよ」

権力を振りかざし、「言うことを聞け」「諦めろ」と繰り返す。同時に自分たちの不正には口を閉ざして「無かったこと」として扱う。そんな「あり得ない」が次々に現実のものとなる。横暴なやり方には全て、そうした光景に慣れさせようとする意図がある。矛先は確実に、そして露骨に、この国に住む為政者以外の全ての人へと向けられていくのだ。

「もうはっきりと警鐘を鳴らすべきだと思う。鳴らすのは新聞、テレビ、そして政治家の仕事だ」

辺野古の地を指さし、言う。

「だから大事なのは〝ここ〟だ」

記者でなければ？

ゲート前に歌が響く。

〈腕組んでここへ　ここへ座り込め　ゆさぶられ　つぶされた隊列を立て直す時はいま〉

〈引きずられ　倒れても　進むべき道をゆく時は今　旗掲げここへ　ここへ座り込め〉

私は山城さんが機動隊員に語りかけた言葉を思い返す。

「この人を拘束したら、大変なことになるよ」

二〇一六年八月、似たようなことが起きていた。北部訓練場にヘリパッド建設が強行されていた高江で、地元紙の沖縄タイムスと琉球新報の記者が機動隊に排除され、一時拘束されるという事件が起きた。大きく報じられたが、このとき沖縄県警は「記者だとは分からなかった」という言い訳で責任逃れをした。

辺野古で私を指さした機動隊の隊長もまた、「（記者とは）気付かなかった」と言った。

数日後横浜の本社に帰り、記事を書きながら自問する。私に向けられた権力の矛先について。圧倒的な腕力によって「抗うなら逮捕」と言わんばかりに体躯を引きずられたときの恐怖。あのとき、私が機動隊に拘束されていたとしたら、果たして「大変なこと」になったのだろうか、と――。

†剝き出しの国家権力

翠玉色（すいぎょくいろ）にきらめく海面に涼やかな風が吹き抜ける。小さな漁船から半身を乗り出し、箱めがねで水中をのぞき込むと、大きく成長したオキナワハマサンゴが陽光を受けてきらきらと輝き、空色をした小さな魚が泳いでいた。

「この美ら海を土砂で埋め立てて、米軍の基地を造る。こんなことが許されますか」

問われ、私は返す言葉もなかった。目の前では止むことなく、美しい海に砕石が投入され続けている。見る間に埋まっていく。

浜を失ったウミガメがさまよいながら、時折波間に顔を出していた。

新基地建設の埋め立てが本格的に進む沖縄・辺野古の沖に私はいた。漁船の舵をとる仲本興真（こうしん）さん（沖縄県名護市）は沖縄で米軍基地反対を訴えて半世紀になる。

「辺野古の岬から北側に広がる大浦湾を挟んだ三原という所で生まれました」

新基地が建設されれば、輸送機オスプレイや戦闘機が上空を行き交うことになる。この海には絶滅危惧種のジュゴンが生息し、アオサンゴやヒメサンゴなど希少なサンゴの群集が見つかっている。仲本さんがマイクを手に、洋上から工事現場に向かって訴えていた。

「一度埋めてしまった海は元には戻りません！　沖縄県が何度も指導しているように、この工事は違法です」

抗議の意思を示すため、仲間たちがカヌーを駆って、工事区域と隔てるために設置されたオイルフェンスを越える。だが、その度にウエットスーツに身を包んだ海上保安官がボートから飛び降り、カヌーを取り押さえ、岸へ引っ張っていく。

「海上保安庁はなぜ米軍基地建設のガードマンをするのか」

切実な訴えはしかし国家権力の末端に向かうばかりで中枢には届かない。海上保安官は

船上から抗議をする仲本興真さん（2018年6月29日）

何も聞こえていないかのように「ここは規制区域です。離れてください」と繰り返す。

抗議する人々を捕らえ、拘束し、岸へ連行する。一連の規制行動の法的根拠は乏しいのに、その不条理を丸呑みにして反対の声を黙殺する。抗うことさえ許さない、剝き出しの国家権力がますます先鋭化している。

一体何のために、誰のために――。

そうした疑問さえひとまとめに投げ棄てて、蹂躙することをいとわない。

†沖縄の不条理

仲本さんは言う。

「こんなに小さな沖縄に米軍基地が集中して七十年余り経つ。日本にある在日米軍専用施設の七割が沖縄にある。私にも子や孫がいる。もうこんなことは終わりにしなければならない」

ここ数年の国家権力の暴走はかつてと比べものにならないと仲本さんは実感していた。

二〇一六年七月の参院選。沖縄では基地建設反対派の国会議員が当選した。

その投開票日の翌日のことである。政府は、抗議が続く高江でヘリパッド工事を再開したのだった。為政者が持てる力を誇示するかのように、あざとく、圧倒的な強者が弱者に対して「黙れ」というメッセージを込めて。

「国会で三分の二以上の議席を持っていることをいいことに、安倍政権が一気に戦争へ向かっているように思えてならない」

祖父の代から沖縄の地で暮らしてきた。先の大戦では多くの親戚を失った。軍事基地があるからこそ、他国から攻撃の標的にされた。そのことは沖縄の歴史が証明している。自身もその恐ろしさを肌身で感じてきた。

「沖縄の人はみんなつらい思いをしている。だから戦後教育を受けて、憲法を学び、再び戦争することのない平和な日本を願い、がんばってきた。それが今やこんな状況になり、この国の将来に不安を感じます」

沖縄で上がる人々の声を圧殺する国家権力の横暴に直面し、仲本さんは思いを強くしていた。

「だから今こそがんばらなければいけない。辺野古で起きていることを踏まえれば、もはや単に沖縄のためだけではない。日本のためにがんばらなければいけない。そういう思いでたくさんの人がここに来ているし、私もその思い一つでここにいる」

†「属国」扱い

砕石が止めどなく投じられる水面（みなも）を見つめ、私は思う。この海は誰のものか――。米軍の軍事基地のために、海兵隊の訓練のために埋め立てられ、その経費として毎年一〇〇〇億円超の予算が私たちの税金から払われる。既定事実かのように、辺野古は「唯一の選択肢」と政府は語るが、そもそも誰のため、何のための新基地建設なのか。

これほどまでに強権的に断行してきた埋め立て工事だが、二〇一九年一二月、防衛省は衝撃的な見通しを発表した。辺野古新基地建設の工期は当初想定の五年から約九年三カ月に延ばす必要があることや、総工費は当初計画の約二・七倍となる約九三〇〇億円になるというのだ。埋め立て予定地の海底にある軟弱地盤の影響で、期間も予算も当初計画を大きく超えるのだという。飛行場整備も合わせた全体工期は約一二年になるという。

事態を軽視したまま突き進み、解決すべき課題は予想を大きく超えるというのに、現状の把握を置き去りにして断行を続ける。まさに先の大戦の末期と相似形をなしている。

この国は一体誰のものなのか——。

首都圏上空の大半は、米軍によって管理される「横田空域」と呼ばれ、民間航空機はその間隙を縫って離着陸している現実がある。二〇一七年一一月、トランプ米大統領は羽田や成田の空港ではなく、米軍横田基地（東京都）に到着し、入国した。

休戦中の朝鮮戦争が再び始まれば、在日米軍基地は「朝鮮国連軍」の基地として使用される。横田（東京）、横須賀（神奈川）、嘉手納（沖縄）など七カ所は自動的に米国の戦争へと巻き込まれることは避けられない。主権国家である日本の意思決定とは無関係に、だ。政府が米軍基地を語るたびに「日本の防衛のため」と繰り返されてきたお題目も、実は砂上にある。

辺野古で抗議の声を上げていた男性が言った。

「「米軍普天間飛行場（宜野湾市）を返還してもらうために辺野古に新基地が必要だ」と政府は言う。いやそうじゃないだろう。もう基地は要らない。ここは日本で、私たちの土地だ。一刻も早く普天間を返してもらえばいい。何かと引き換えのカードのように、辺野古を、沖縄を差し出すな」

男性は憤りを隠さずこうも言った。

「それでも米軍基地は「必要だ」と言う人がいる。だったらその人が地域の意思をまとめて基地を誘致したらいい。もし安倍さんが「必要だ」と言うなら自分の地元の山口県に造ればいい」

†本土の人こそ、「現場を見て」

潮騒が響き、沖へ目をやる。美しい海を見つめ、女性がつぶやいた。

「この海に出会って、離れられなくなった。埋め立てられていくと思うと胸が痛い」

ダイビングがきっかけで神奈川県箱根町の仙石原から移り住んでおよそ二〇年になる。

「辺野古がある大浦湾は本当に貴重な海」

数多くの希少種、日本固有種の棲みかになっている。その命の楽園が目の前で壊されていく。止めたいという思いが募り、抗議行動に参加するようになっていった。

「いらだちを感じる。どうにかできないか。どうにかしなきゃいけない。米軍基地が新し

ドローンで空撮した米軍辺野古基地建設の埋め立て現場。沖縄ドローンプロジェクト提供、2020年２月27日撮影

く造られるということは、沖縄だけの問題ではないはず。本土の人にも考えてもらいたい。ここに来て、見てもらいたい。ここに何があるのか、何が起きているのかを」

†蹂躙の歴史

二〇一八年六月には、新基地建設の是非を問う県民投票の実現に向けて署名活動が沖縄県内の各所で展開されていた。

蒸し暑さを少しだけ拭(ぬぐ)うように海風が吹く。沖縄本島北部の名護市街から沿岸の道路を北へ一〇キロほど。スーパーマーケットの前で、タオルを首に巻いた阿波根数男(あはごんかずお)さん（沖縄県名護市）が買い物に訪れた人々に声をかけていた。

「辺野古の埋め立てについて、県民に賛否を問う投票をしようと思っています。署名お願いします」

署名をしたばかりの初老の男性に私は尋ねた。

「なぜ署名したのですか？　辺野古の基地建設についてどう思いますか？」

配慮を欠いた質問をしたことにすぐに気付いた。男性は一瞬の間を置いて、かっと目を見開き、言った。

「沖縄がどれだけ踏みにじられているか、お前、分かってるか」

私の心の中を覗き込むように続けた。

「女性や子どもまでが、米兵にうち捨てられるかのように扱われてきたんだ。戦時中の話じゃないぞ。今もだ。変わらずに、つい最近もそうだ。言いたかないが、本当はもうアメリカ人を見るのも嫌なんだ」

二〇一六年四月、本島中部のうるま市で、ウォーキング中だった当時二〇歳の女性が暴行され刃物で刺されるなどして殺害され、山林に遺棄された。逮捕された男は元米海兵隊員で、嘉手納基地内の会社に勤める軍属だった。殺人などの罪で二〇一七年一二月に無期懲役の判決が下され、二〇一八年一〇月確定した。

一九九五年には米兵三人が一二歳の少女を暴行する事件が起きた。沖縄県警は逮捕状を請求したが、日米地位協定によって起訴前に三人の身柄が日本側に引き渡されることはなかった。

戦前、戦中、戦後、そして今も、基地あるがゆえの被害が続く。日本の国土の〇・六%の土地に在日米軍専用施設の七割が集中し、被害もまた集中する。

二〇一六年一二月には米軍普天間飛行場（宜野湾市）所属の輸送機MV22オスプレイが名護市の浅瀬に墜落した。二〇一七年一二月には同飛行場に隣接する小学校の校庭に米軍ヘリの窓枠が落下し、男児一人がけがを負った。

太平洋戦争末期には本土防衛の捨て石として国内で唯一の地上戦を強いられ、県民の四人に一人が犠牲となった。今も米軍基地を押しつけられ、沖縄の人々の反対の意思は蹂躙され続けている。スーパーマーケットの前で男性からかけられた問いが、私の耳底から消えない。

「お前、分かってるか」

「沖縄だけ、戦争が終わっていない」

前出の阿波根さんが私に問うた。

「「沖縄」というと、どういうイメージですか」

南国、観光地、美しい海――。言葉を思い浮かべながらも、この数日取材を続けてきたこともあって、同時にむなしさが募る。

「沖縄だけ、戦争が終わっていないかのようだとは思いませんか。私はそう思いますよ。もう終わらせたい。基地は要らない。私たちはそうした民意を何度も示してきました。

今に続くつらい歴史を沖縄は背負っています。だからこそ、私たちには平和に生きる権利があると思う。米軍基地も自衛隊の基地も要らない。力で、武力で、何かをしようとすれば、必ず力で反発を受ける。基地があるから攻撃されて戦争になる。そのことを沖縄は骨身に沁みて知っている。だからこそ「基地は要らない」と言い続けなければいけない」

†本土からの「蔑視」

県民投票実現の民意を率いたのは、東京都内の大学院に通う沖縄県出身の元山仁士郎さんだった。小中高校と沖縄で育ったが、「当時は年配の方々が期待しているような反戦平和の考えにはならなかった」と振り返っていた。

「反対しても仕方ない。抗議しても基地はなくならない。運動することに何か意味があるのか。沖縄で暮らしていたときは普通にそう思っていました」

　大学進学に合わせて東京に住み沖縄に目を向けると、これまでとは違って映った。

「ここには基地のフェンスがない。米兵の姿がない。基地を巡る事件や事故も報道されない」

　距離をおくことで、ぼやけていた輪郭が際立ち、沖縄が強いられている日米安保の矛盾が鮮明に見えた。

「なぜ自分の故郷は不条理を背負わされているのか」。沖縄の歴史や政府の振る舞いに関心が向いた。

　それまで多くを語らなかった祖父が戦争体験を話すようになったことも大きかった。沖縄戦は本島南部が激戦地とされるが、北部でも少年兵がゲリラ戦を強いられ、ジャングルの中に潜んだ。元山さんの祖父も中部の恩納（おんな）岳の山中に分け入ったという。

「銃弾が軍服の脇をすり抜けて焦げ跡が残っていたとか、火薬を背負って突撃の訓練をしたという話を聞いた。もし祖父がそこで命を失っていれば、僕は生まれていません」

　それまでも耳にしていた戦争体験だったが、実の祖父から聞くことで我が身に迫った。

　そして膨らんだ疑問は「今の自分」に巡ってくる。沖縄にはなぜこれほどまでに基地が集中しているのか。日米安保や地位協定、安全保障の歴史や沖縄の戦史を知り、その懐疑は一層深まった。

「政府は繰り返し辺野古が「唯一の選択肢」だと言う。だが果たしてそうなのか。軍事的に必要だ、安全保障上欠かせないと言う。安倍首相は本土への米軍基地の新設は「理解が得られないから」とも言う。沖縄でも建設反対の声は強い。本土の意向には従う一方で、沖縄の声は無視して全く尊重しない」

突き付けられる理不尽から「蔑視」の二文字が透けて見える。

「沖縄の意思はないがしろにしてもいいということであって、つまりこれは「差別」でしかない。これが沖縄・辺野古の問題の本質だと思う」

政府によって、あるいは本土の人々によって、意識的に、無自覚に、面倒なことを沖縄に押しつけ、沖縄の現実に目を背け、無視してはいないか。

沖縄県民が辺野古新基地建設についてもう一度考え、民意を示そう、と元山さんは立ち上がった。通っていた大学院は一年間休学することにした。

投票日が二〇一九年二月二四日に予定されている段階で、宜野湾市、沖縄市、うるま市、石垣市、宮古島市の五市の首長が、県民投票実施に伴う予算を執行しない意向を示した。

元山さんはハンガーストライキという最終手段に打って出た。二〇一九年一月一五日の朝から一九日午後五時まで続けた。直後から各市の政治は動き始めた。焦点は県民投票で問う設問を「賛否」の二択とするか、「どちらでもない」を加えた三択とするか。実施を推し進めてきた「県民投票の会」は二択を望んでいたが、同時に全県実施も求めていた。二択を断行すれば、五市を除いての実施となる。一方、三択を呑めば全県実施が可能となる。ぎりぎりの調整が繰り返され、三択で決着し、予定されていた県内全域で二月二四日に投開票が実現したのであった。

開票結果は七二・二%が「反対」、「賛成」は一九・一%だった。投票率は五二・四八%。その投票結果に法的拘束力はない。それをいいことに、政府は明確な民意が示されたにもかかわらず工事を続行している。

沖縄で示された民意は、翻って私たちに問いを突きつける。

「あなた方の民意は、どこにありますか」

終　章

令和日本の「焦土」

「桜を見る会」の問題で、野党議員が準備した資料を手にする安倍晋三首相。前日、首相は「幅広く募ったが、募集はしていない」と答弁していた
（2020年1月29日、国会内で。毎日新聞社提供）

1　戦わずして負ける国

敵を軽視し、自軍の戦力を過大評価し、科学的で合理的な計算を度外視して「勝てる」「勝つぞ！」「勝ちまくっているぞ！」と喧伝し、突撃する。その作戦決定の過程や責任の所在をうやむやにし、漠然とした「仲間意識」や「雰囲気」によって致命的決定を幾度も下し、そうして、国土の多くが焦土となり数百万人が命を失い、国家が崩壊する寸前の奈落へと突き進んだのが先の大戦であった。いま、あのときと酷似する政治的、社会的、経済的な光景が私たちの眼前に広がっているということを確認したい。

アベノミクスはまったくの大失敗であるのに、成果を並べ立て「道半ば」だと言いつの り、「景気回復、この道しかない」（二〇一四年一二月の解散総選挙における自民党政策パンフレット）と言う。

あれから五年。二〇二〇年一月二〇日、通常国会が始まるこの日、安倍首相は施政方針演説でこうぶち上げた。

〈「日本はもう成長できない」。七年前、この「諦めの壁」に対して、私たちはまず、三本

の矢を力強く放ちました〉

〈我が国は、もはや、かつての日本ではありません。「諦めの壁」は、完全に打ち破ることができた。その自信と誇りと共に、今、ここから、日本の令和の新しい時代を、皆さん、共に、切り拓いていこうではありませんか〉

開戦前夜の雄叫びか、いや大勝利を告げる大本営発表か――。疲弊しきった経済と、勇ましさだけの言句を比べれば、際立つのは空虚さでしかない。現実は、進むも止まるも引き返すも奈落という不可避的窮状だからだ。

社会保障は減らされ続け、実質賃金は減少し、多くの人が長時間労働を強いられ、しかし貯金もままならない生活の中で必死になって生きている。

政府の年度予算はその約三分の一余りを公債でまかなっている。それでも足りない。二〇一九年度は消費増税したにもかかわらず、企業業績が低迷したことで法人税収が減り、三年ぶりに年度途中で赤字国債を二兆二二九七億円追加発行した。それでもまだ、景気対策という名のその場しのぎの政策を逐次投入するのである。

一つの国家が、完全に追い込まれ、破綻の時は迫り窮地に陥っている。それが日本の現実だ。

†「一人負け国家」

戦史・紛争史研究家の山崎雅弘さんは今の政治状況についてこう指摘している。「日本軍が負け始めてからの戦争指導と重なって見える。場当たり的な弥縫策(びほうさく)で「負けている現実」から多くの人の目を逸らそうとする。長期戦を戦うには、人的損害を減らす努力をせねばならないのに、人的損害を増やす玉砕や特攻を過剰に美化礼賛する」

歴史的に国家は、経済的、政治的に窮地に立つと、国民からの追及の目を避けるために、外敵の存在を強調し、ナショナリズムを刺激し、関心を外へと向けさせてきた。日本の現状はまさに「負けている」に違いない。

例えば実質賃金の推移を先進諸国と比較しても完全に一人負けである。全労連が、世界的な統計データベースOECD. statから作成した資料によると、一九九七年を一〇〇とした指数で二〇一六年は、日本は八九・七と減少している(図5-1)。ちなみに米国は一一五・三、ドイツは一一六・三、イギリス一二五・三、フランスは一二六・四、オースト

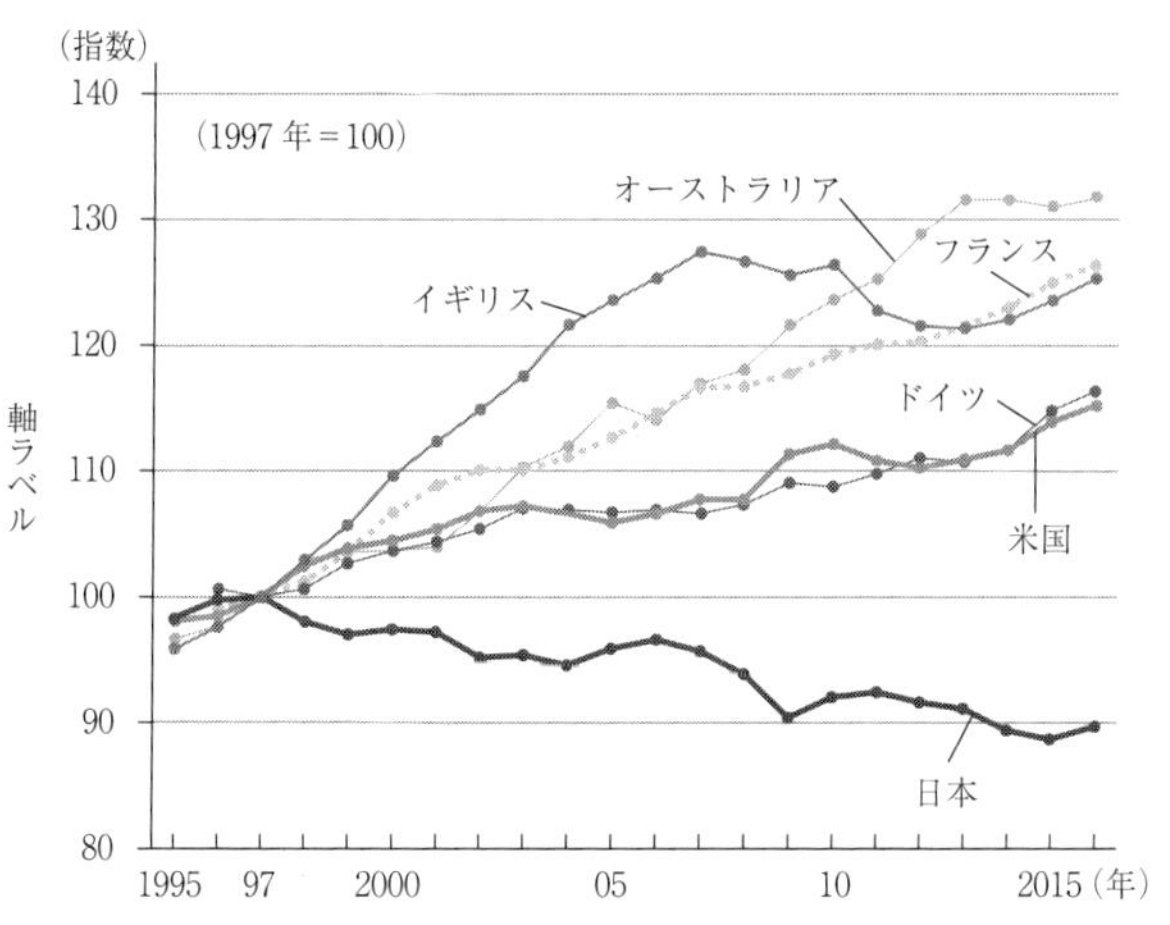

図5-1 実質賃金指数の推移の国際比較。OECD.statより全労連が作成（日本のデータは毎月勤労統計調査によるもの）。注：民間産業の時間当たり賃金（一時金・時間外手当含む）を消費者物価指数でデフレートした。オーストラリアは2013年以降、第2・四半期と第4・四半期のデータの単純平均値。仏と独の2016年データは第1〜第3・四半期の単純平均値。英は製造業のデータのみ。

ラリアは一三一・八と軒並み増加している。悲劇的なことに、日本の置かれたこの状況を好転させるような明るい材料はみあたらない。

安倍晋三首相はこのような状況にあって、二〇二〇年一月の施政方針演説を次のように締めくくった。少し長いが引用する。

〈新しい時代をどのような時代としていくのか。その夢の実現は、今を生きる私たちの行動にかかっています。

社会保障をはじめ、国のかたちに関わる大改革を進めていく。

令和の新しい時代が始まり、オリンピック・パラリンピックを控え、未来への躍動感にあふれた今こそ、実行の時です。先送りでは、次の世代への責任を果たすことはできません。国のかたちを語るもの。それは憲法です。未来に向かってどのような国を目指すのか。その案を示すのは、私たち国会議員の責任ではないでしょうか。新たな時代を迎えた今こそ、未来を見つめ、歴史的な使命を果たすため、憲法審査会の場で、共に、その責任を果たしていこうではありませんか。

世界の真ん中で輝く日本、希望にあふれ誇りある日本を創り上げる。その大きな夢に向かって、この七年間、全力を尽くしてきました。夢を夢のままで終わらせてはならない。新しい時代の日本を創るため、今日、ここから、皆さん、共に、スタートを切ろうではありませんか〉

「新しい時代」「躍動感」「輝く」「誇り」……現実の窮地から目を逸らさせる空虚な言葉が並ぶ。七年間も権力の座に就き、実態を伴わずに「全力を尽くし」てきた、と言われてもため息しか出ない。そして憲法改正を振りかざす厚顔さ。安倍首相は改憲について記者から問われ、こうも言った。

「憲法改正はですね、自民党立党以来の党是でありまして、そして、選挙でお約束したことを実行していくことが私たちの責任であろうと、政治の責任であろうと思います。憲法改正というのは、決してたやすい道ではありませんが、必ずや、私自身として、私の手でなし遂げていきたいと、こう考えています」(二〇一九年一二月九日、臨時国会閉幕後の記者会見)

†戦争のコスト

ここまで社会、経済の現実を見てきてわかるように、日本の置かれた状況は極めて危機的である。そうした状況下では、国家は外敵の存在を殊更に強調し、その箍(たが)が外れるようにして「戦争」への道を進んでいくことが、過去にあった。戦時国債を発行しインフレを引き起こし、あるときからコントロールを失い物価が何十倍、何百倍へと高騰するハイパーインフレを世界の歴史は経験してきた。いまの経済状況、政治状況をみわたすと、「その時」は刻一刻と迫っていると言わざるを得ない。

だが圧倒的に異なるのは、経済の世紀にあって、日本には「もう戦う相手がいない」という現実である。

「戦争」は今や国家にとってなんらの利益も生み出さない。中期的にみれば国家にとって経済的損失しか生まない。最も数多くの戦争をしてきた米国がそれを体現しているからだ。二〇〇一年の「9・11」以降、アフガニスタン紛争、イラク戦争を始めとして対外的な戦争に関与し続けてきた米国だが、莫大な戦費に加え、退役軍人の医療費や社会保障費、精神的な障害を負うケースも含め、「戦争のコスト」はあまりにも大きい。常にテロの脅威に晒されているため国民の不安が消えず、テロ対策も巨額になる。その裏側で生まれる監視社会では、国民のプライバシーも毀損されていく。情報管理を徹底するための巨額のコストも生じる。想像をはるかに超える幅広く多様な「負」の債権を、国家は背負い続けていくことになる。

「戦争は経済的に何の得もない。損失しかない」というのは、米国を含めたほぼ全ての国家の共通認識になりつつある。中国も北朝鮮もロシアも、である。

軍事評論家の田岡俊次氏は二〇一四年、私のインタビューでこんなふうに言っていた。

「米中が戦争するという客観的状況がない。米中間には強固な相互依存関係が構築され、片方が倒れれば他方も崩壊する構図になっている。だから両国は戦争を避けようとする」

経済的合理性こそが国家の選択を決する時代である。戦争は、人や資源、国土といった「国家」が国家たりうる要素そのものを毀損する。かつては「勝てば相手の全てを奪い取れる」戦争であったが、グローバルに経済的相互依存が進むいまとなっては、そんなことは許されないはずだ。

†経済的相互依存の世界

中国は米国債を大量に保有し、米財政を支え、米国の金融・証券の最大顧客となっている。米国の軍需産業の中核である航空機産業の売り上げの多くは旅客機で、その主力輸出先は中国だという。米国を支える自動車産業でも稼ぎが大きいのは中国市場だ。中国にとっても、米国は最大の輸出先であり投資先という構図が構築されている。

米中貿易摩擦のような国家間の綱引きや、好条件を引き出そうとするための脅しはあっても、関係を断絶して紛争となり「戦争状態」になることはもはやない。為政者たちの頭の中にはあくまで経済的合理性と、自国における権力基盤の強化しか念頭にないからである。

かつて国家による戦争は、領土の拡大や、占領統治することでその土地の労働力を獲得する、資源を手に入れる、といった目的があった。あるいは第三国に対する影響力を維持・強化し、他国を排除するための戦争であった。現代においては、そうしたものは経済的に勝利すれば獲得でき、解決できる。「戦争」という手段は、得るべき目的や利益と比較すれば経済的合理性を著しく欠く、ということが世界の常識となった。

領土を広げればその国土を保守・整備しなければならないし、住む人の安全を確保し、社会保障を行き渡らせなければならない。一国家が他の国家に対して侵攻し、一時的に占領統治するような形の「戦争」が起きる可能性は、極めて低くなったのである。

国内の経済や政治が異常をきたし、それへの批判を逸らすため、外敵に目を向けさせようとしても、外敵はいない。安倍政権が事あるごとに中国と北朝鮮の脅威を強調してきたが、これらは作り出した外敵ではないか。だがそれも、米国との同盟関係を踏まえれば、日本が中国と北朝鮮を過度に刺激することは許されようもない。

こうした構図の中にあって、日本にはもう戦争する相手がいないというわけだ。

しかし刻一刻と国内の経済状況は悪化の一途をたどっている。安倍首相は先に引用した施政方針演説で「世界の真ん中で輝く日本、希望にあふれ誇りある日本を創り上げる」などと全く内実を伴わず空虚でしかない言葉を並べて、悪化する経済状況を塗り隠そうとしている。

二〇二〇年の東京五輪については「日本全体が力を合わせて、世界中に感動を与える最高の大会とする。そしてそこから、国民一丸となって新しい時代へと、皆さん、踏み出していこうではありませんか」と内容のない呼び掛けをする始末だ。

この国はどうなるのか。戦わずして敗戦のときを迎えるのではないか。いや、もうその時は既に始まっている。

2　焦土と化す列島

内閣府発行の「高齢社会白書」(二〇一八年版)によると、「孤独死について、身近に感じますか」という質問に対し、六〇歳以上の人の独り暮らしの人の約半数(四五・四%)が身近に感じている。都市再生機構(UR)が運営管理する賃貸住宅約七五万戸の調査では、単身の居住者で亡くなってから一週間を超えて発見された件数(自殺や他殺を除く)は、二〇一二年に二二〇件、六五歳以上に限ると一五七件となり、二〇〇八年と比べ全体で約四割、六五歳以上では約八割の増加となった(二〇一四年版「高齢社会白書」)。二〇一五年には全体で一七九件と減少しているが、六五歳以上でみると一三六件で、二〇〇八年と比べて約五二%も増えている。

東京二三区内に住む独り暮らしの六五歳以上の人でみると、自宅での死亡者数は増加傾向にあり、二〇一五年には三一二七人。二〇〇三年と比べて約二・一倍と急増している。

民間の調査機関「ニッセイ基礎研究所」が試算した全国での孤独死（自宅で死亡し死後二日以上経過したもの）は、年間約三万人にも達する（「セルフ・ネグレクトと孤立死に関する実態把握と地域支援のあり方に関する調査研究報告書」二〇一一年）。一日に換算すると全国で約八二人も孤独死している計算になる。

近くに住む高齢者が、気付いた時には既に亡くなっている状態だ。周囲は「異臭」などで異変に気付き、警察を呼ぶ。そこで発見される。しかし死者の親類縁者が見つからず、自治体が対応するというケースも少なくない。

現在は警察や消防、自治体への連絡で事態は収拾されるが、国家が「敗戦」し、財政危機が訪れればどうなるか。

†「超高齢化社会」＝「大量孤独死」時代

神奈川県相模原市内のアパートの一室。孤独死したとみられる遺体がみつかったのは二〇一九年に入ってからのことだった。隣の部屋にまで臭気が漏れていたという。特殊清掃を請け負っている会社の関係者によると、遺体の跡には体液がしみ出し、床下のコンクリートまで浸食していたという。腐食した畳を取り除いて、コンクリートを張り替えた上で新しい畳を入れ、消臭器材で部屋の臭気を取り、遺品を整理していった。

「ここ四、五年ですかね、増えてきたのは……。亡くなってから一週間、一カ月と経った部屋について遺族や知人、不動産業者から清掃の依頼が舞い込むようになってきました」（神奈川県内の清掃業者）

いまはまだ、溜まったごみを片付けられなくなった高齢者の部屋を清掃するケースの方が多いという。ただ「それも「ごみ屋敷」に住む人が元気なうちに親族が対応しているから清掃ができる。これからは亡くなった後になって見つかるケースが増えてくるのではないでしょうか」（同前）

高齢者の孤独死が社会問題として取り上げられてから一〇年近くが経つ。NHKスペシャルが「無縁社会」を放映したのが二〇一〇年、朝日新聞が大型企画特集「孤族の国」を連載したのは二〇一一年のことだ。いずれも「孤独死」をテーマに社会のありようを描いていた。

だが、実際に身に迫る危機として「超高齢化社会」が私たちの生活を一変させるようになるのは、現在七〇歳前後の団塊世代が死期を迎える一〇〜二〇年後だ。人口のボリュームゾーンが一気に亡くなり始める。同時に、このとき生産年齢人口（一五歳以上六五歳未満）は現在と比べ約二〇%も減少している（国立社会保障・人口問題研究所「日本の将来推計人口」）。恐るべき数値だ。世の中を経済的に「支える側」の人間が、今後わずか二〇年間で二割も減少し、時を同じくして超高齢化社会が一気に深化していくのである。

既にそこに向けて財政的負担は急拡大している。二〇一七年度の社会保障給付費（年金・医療・福祉そのほかを合わせた額）は、一二〇兆二四四三億円と過去最高となり（国立社会保障人口問題研究所）、二〇〇〇年度と比べ実に一・五倍と急拡大している。先に触れた人口のボリュームゾーンである団塊世代が医療・福祉をますます必要とすることになるため、今後も増加し続けることは避けられない。

政府は団塊世代が七五歳になり始める二〇二二年以降に医療費がさらに急増していくと見込んでいる。そのため七五歳以上の窓口負担について「原則一割」から「原則二割」に引き上げた場合について試算したところ、年間約八〇〇〇億円減らせたという。実際そうした制度改革に乗り出す可能性は高い。財務省の資料によれば、このほかにもたとえば二〇一七年度の社会保障自然増分が一四〇〇億円削減された。

†日本全国「うばすて山」

テレビアニメ「まんが日本昔ばなし」にある「うばすて山」の話を知っているだろうか。私は幼いころに見て衝撃を受けた記憶がある。

昔、ある藩では六〇歳以上の高齢者は親であっても山に捨てなければならないという掟があったとな。この日六〇歳になる母親を背負った息子が、山道を涙を流しながら歩いて行く。母親は、息子が帰り道に迷わないようにと、木の枝を折って道しるべを作っていった。息子は山中に母親を置いて去ったものの、やはりそのまま一人で帰ることができず、引き返して母親をおぶって急いで家へ戻った。

この昔ばなしは、その後、高齢の母親の知恵が度々その藩を救い、結果的に藩主は「うばすて山」の掟をやめることにした、めでたし、めでたしで終わる。「老人の智恵には一国を救うほどの力がある」という教訓も込められ、いかにもよくできた「昔ばなし」であるわけだが、日本の未来には当てはまりそうもない。

現代版の「経済的うばすて山」を生み出そうとしているのが、アベノミクスの末路であり、それが「敗戦後」の一つの姿であるからだ。

社会保障の給付が減らされれば、高齢者は貧しくなる。蓄えもできない。この間、物価は上昇し続けている。消費税も一〇%に引き上げられた。生活は当然苦しくなる。苦しい中にあって、さらに親族との関係性が失われていたり、希薄になっている人もいるだろう。こうして、日本の至るところで「孤独死」が増加すれば、自治体の限られた財源の中では対応が遅れるケースも出てくる。

救おうとする手の、その指の間からこぼれ落ちるようにして亡くなっていく高齢者が日常茶飯になるときがやってくる。いや、既にそうした事態は始まっている。今の人口構成を考えると孤独死に拍車がかかり、救えない事象が増え続けるということだ。「戦なき敗戦」による、その焦土の一つの形は、日本全国が「うばすて山」のような危機的な状況になることである。

近所の高齢者が孤独死しても、誰も対処することができない。警察に通報しても事件性の有無を確認するだけで、遺体を移すことはなされない。自治体に連絡しても「いま手が回りません。行けるのは三日後です」などと言われる。特殊清掃業者に依頼し引き受けてもらえるのは、親類縁者がその費用を負担できる場合に限られる。保証人がいない高齢者が賃貸物件に入居しにくいのは、孤独死のリスクを踏まえて不動産業者が万一に備えているためであろう。

高齢者の孤独死は「焦土の形」の一つに過ぎない。

†崩壊する「公」

厚生労働省が二〇一九年三月にまとめた二〇一七年の人口動態統計によると、戦後初めて日本人の一〇歳～一四歳の死因として「自殺」が一位となった。この年齢層で二〇一七年に自殺した人の数は一〇〇人に上り、死因のじつに二二・九％に達した。

自殺者数全体は九年連続で減少し、二〇一八年は二万八四〇人だった（警察庁自殺統計原票データから厚労省が作成）。だが、十代に限っては二年連続で前年を上回っている（同前）。先進七カ国の中で若い世代（一五歳～三四歳）の自殺死亡率は、日本が突出している。自殺死亡率が事故死亡率より高い国は、七カ国の中で日本しかない。

個々に見ればそれぞれ理由があるはずだが、全体の数値の変化を見れば明らかに異常な事態となっている。この国の未来に期待を抱けず、また社会全体に閉塞感が満ちているからかもしれない。

これらの数値は私に問うてくる。「この国に、明るい未来はありますか」と。

企業の倒産件数は二〇一九年、一一年ぶりに増加に転じた。アベノミクスによって打つ手はもう限られている。その中で世界経済は失速しつつある。言うところの「異次元」の金融緩和を七年余り続けているにもかかわらず、「緩やかな景気回復」しか起きていない。アベノミクスが破綻のときを迎えれば、国債は暴落し、円は国際的な信頼を失い、急激かつ極度なインフレを引き起こし、国家財政が事実上破綻する可能性は否定できない。第二章で繰り返しみてきた通り、むしろ現在はそのときを先送りし続けているに過ぎないからだ。

そのとき国家はどうなるか。

死者を弔（とむら）えない。壊れた道路が補修されない。医療や介護、教育は崩壊し、電気、ガス、水道の料金が高騰する。いま「公」が担っていることの大半が滞り、民間企業に移管された公的サービスは料金が高騰する。他にも想像しえないようなことが起きる可能性がある。

前述の明石順平弁護士は著書でこう指摘している。

「戦後よりも状況はひどい。なぜなら、戦後に残った膨大な借金は戦争によるもので、戦争が終わってしまえばそれ以上増えないからだ。しかし、今膨らんでいる借金は社会保障費の増大によるものだ。だから、極端なインフレで一時的に債務を圧縮できたとしても、急上昇した物価を前提にまた社会保障費が積み上がっていってしまう。しかも高齢人口が増え続けるからそのペースは早まり続ける」（前掲『アベノミクスによろしく』より）

そして最終章の締めくくりにはこうある。

「諦めちゃいけないよ。もう痛い目にあわずに済む方法はないかもしれないけど、どん底に落とされたってそこから這い上がればいい。君たちの大先輩が敗戦後の瓦礫の山からこの国を立て直したようにね」（同前）

自らの父、母、子、叔父や叔母など、親しい人が救われない社会。孤独の中で、過労の中で、ひっそりと人が亡くなっていく異常な光景を目の当たりにし、社会全体がそのことに対して無反応でやり過ごしてはいけない。

焦土の中に立ち尽くしたときに初めて、私たちは惨状を認識することになる。どこまで追い込まれてから気付けるか。いずれにせよいつか気付く。こんな政治は間違っている。選挙に行かず一票を投じなかったから、直視すべき現実から目を逸らしてきたから、こんな世の中になってしまったのだと。多くの人が気付くときが少しでも早く訪れることを切に願い、本書を綴っている。

3　なぜ、ここまで堕ちたのか

異次元の金融緩和を行い、市中にマネーをあふれさせ、国債を日銀が大量購入することで金利が下がり、銀行に現金が行き渡る。融資は円滑に行われ企業活動が活発化し、物価が上がり、賃金が上がり、企業はさらに積極投資する——。

アベノミクスが企図したこの好循環は、なぜ回転しなかったのか。現状を把握し、危機的状況を改めて確認したい。

†なぜアベノミクスは成功しなかったのか

大きな要素は二つある。

一つ目は、想像以上に企業が収益を賃金に振り向けなかった。

二つ目は、想像以上に金融機関には融資先がなかった。

だがこの二つとも、政策誘導によって引き起こされたものと私は総括している。

一つ目の「賃金」だが、政府はこの間、非正規雇用を歯止めなく解禁してきた。一方で企業に対して「賃金を引き上げろ」という動機付けをほぼ何もしてこなかった。労働法の規制についても「働き方改革関連法」で一部強化されたものの、残業代を支払わないような「ブラック企業」はいまだに跡を絶たない。

企業が賃金（基本給）を引き上げてこなかった背景には別の理由もある。バブル崩壊（一九八九年前後）以降、国内金融危機（一九九七年）、そしてリーマンショック（二〇〇八年）と大きな景気後退局面を経験した日本の大企業はその後、常に「来たるべき後退局面」に備えようと注力し続けてきた。その結果が、いつでも雇い止めにできる非正規雇用の拡大と、内部留保（利益余剰金）という蓄えの積み増しとなった。

日本企業における内部留保の総額は七年連続で過去最大を更新し、二〇一八年度は四六三兆円に達した（金融業、保険業除く全産業ベース、財務省「法人企業統計」）。企業が、稼いだ金を従業員の賃金や設備投資に向けず内部にため込むという現象が、過去最大規模で起きているというわけだ。だから企業の利益水準の伸びに比べ、賃金は上がっていない。

二つ目の「乏しい融資先」については、政府が東日本大震災と福島第一原発事故を経た今も「原発政策の維持」を続けていることに大きく起因している。世界を見渡せば電力源は太陽光や風力、地熱といった自然エネルギーへと一気に舵を切っている。この分野への世界の投資額は計り知れないほどだが、では日本はどうか。

象徴的な事例に出くわしたのは、二〇〇七年に日産自動車とNECが出資して設立した電気自動車（EV）向けリチウムイオン電池を量産する企業「オートモーティブエナジーサプライ」（AESC、神奈川県座間市）の一件である。

蓄電池技術は、自然エネルギーが普及していく上で極めて重要な役割を担っている。自然エネルギーは供給が不安定になるため、その電力を一時的に蓄える必要がある。晴れの日にも雨の日にも電力の供給量を平準化できなければ一般の利用はできない。

「リチウムイオン電池」は、二〇一九年のノーベル化学賞を受賞した旭化成名誉フェローの吉野彰さんが開発したことで知られる画期的技術であった。

それまでは「充電できる電池」は「ニッケル水素電池」が一般的だった。だがこの技術は充放電のたびに電池が劣化し、やがて充放電性能を失う。ところがリチウムイオン電池はこの劣化が極めて少ない。当初はノートパソコンや携帯電話、デジタルカメラ用として普及していった。大容量化が課題だったのだ。

これに成功し、量産化したのがAESCであった。自動車に搭載するための大型リチウムイオンバッテリーが量産化されることで電気自動車（EV）の量産化が可能になった。

工場は、かつて日産自動車の主力工場「座間工場」の跡地であったこともイノベーションの一つの形をみた気がしていた。

だが日本政府が国内の電力需要をまかなう上で、原発をベースロード電源と位置づけ続けたことで、太陽光発電を中心とする自然エネルギーへの本格的投資が進まなかった。国内での自然エネルギー市場の拡大が鈍化する中で、EVの普及も思ったほど振るわなかった。大型の蓄電池の需要も見込めず、AESCは二〇一九年に中国企業へと売却されてしまったのである。

†「原発維持」という経済的武装解除

原発をやめられない日本。自然エネルギーへと舵を切れない日本。いま思えば、AESCが設立された二〇〇七年以降、あるいは二〇一一年三月の東日本大震災と東京電力福島第一原発事故以降にでも、政府による圧倒的な産業支援や、または税制優遇を通じて蓄電池やそれにまつわる半導体、太陽光パネルとそれに関連する薄膜技術、あるいはEVを想定したモーターと電磁石などの技術開発に投資が向かっていれば、この分野で日本が世界的に覇権を握ることが可能であっただろう。

この分野で覇権を握るというのは、中長期的に世界経済の中でトップランナーとして走り続けられることを意味している。蓄電池にしろ半導体にしろ太陽光発電パネルにしろ、その多くは日本が既に高い競争力を保持していた分野であった。しかしそうした屋台骨はこのおよそ一〇年でボロボロに荒廃してしまった。

舵を切るべきだったタイミングは、まさに二〇一三年に本格始動したアベノミクスが絶好にして、最後のチャンスであった。あふれるマネー（第一の矢）をそうした技術開発に投資し、機動的な財政出動（第二の矢）によって関連する生産設備を集積させた工業団地を建設する。成長戦略（第三の矢）によって規制緩和を進め、様々な実証実験を展開できる地域と仕組みを導入することができたはずだ。

かつて自動車産業で世界を圧倒した構図を、蓄電池や太陽光パネルといった自然エネルギー産業分野で達成し、再び世界のトップランナーとなることができた、その素地が日本にはあった。

だが、そうはならなかった。なぜか。

「戦わずして負ける国」という文脈でこの事象を見れば、原発依存の継続は、米国が仕組んだ日本の「経済的武装解除」だったのではないかと私は推察する。

二一世紀のエネルギー覇権を日本が握ることは、米国にとって許されない。だから「原発」という過去の負の遺産を背負わせ続ける。そうして世界経済の中で戦える武器を奪い取り、経済的属国化を維持、継続しようとしたのではないか。

安倍政権もまた、米国への隷従の意思を示すとともに自らの権力基盤を維持、継続する目的と合致したために、この国を経済的に世界で戦えない国に仕立てたのではないか。

ここまで本書でみてきた様々な要素を並べて俯瞰し、集まったピースに目を配れば、そうした構図が浮かび上がってくる。

†分配を求める

既に「終わっている」と、ため息しか出ない。しかし「終わっているなら、始めるしかない」。ではどう始めようか。今後、人々の生活は一層厳しくなり、高齢化の進展に伴って社会はどんどん閉塞状態に追い込まれていくことだろう。そして歯止めとなる要素は見当たらない。そうだとすれば、私たちには何ができるだろうか。

極めて危機的な状況にあるという現状を大まかにでも把握している人はまだ少ない。だから自らの身に起きている苦況について「自分の責任だ」などと感じている人が多いのではないか。まずはより正確に安倍政権が行っていることを分析することから始めたい。

アベノミクスがどのような状況にあり、安倍政権はどのようにして権力基盤を強固にしているか。経済政策を掲げる一方で、もう片方の手で憲法改正を訴え、保守層へと訴求し続けている。

現実の日本社会は、世界のどの国よりも高齢化が進行し、生産年齢人口は減少の一途をたどり、産業は衰退し続けている。非正規雇用が無限定に拡大され、実質賃金が減り続けている。こうした状況は安倍政権によって構造的に形作られている。

「なんでもかんでも悪いことの全てを安倍政権のせいにするな」という批判には、こう切り返したい。七年も権力の座に就き、選挙では圧倒的支持を受け党内でも盤石な権力体制を構築してきた中にあって、経済を回復できない、実質賃金を上昇させられない、実質消費支出を引き上げられない、少子化に歯止めがかからない、十代の自殺者数は増加している……この責任は、安倍政権以外にどこにあろうか。

私たちは、社会や制度の改善を政府にもっと求めるべきだ。足りないことについて「もっと寄こせ」と言わなければならない。「分配せよ」という要求になる。

危機的状況を共有すること。政府に対し「分配」を要求すること。私たちができること

はこの二つであろう。それは私たちにとって「不都合」な事実を直視し、受け止めること
でもある。
目の前にはもう拾いきれないほどの瓦礫が積み上がっている。それでも目の前の、足元
に転がっている石ころを、ひとつひとつ拾うことから始めるしかない。先人たちがそうで
あったように。

付録
識者インタビュー

（右）白井聡氏、（左上）木村草太氏、（左下）井手英策氏

終章まで、社会、経済、政治の現状を見わたしてきて、この国は相当に厳しい状況に置かれている、窮地に追い込まれている、私たちの生活のすぐそこに、戦中・戦後のような焦土が迫っていることを指摘してきた。

外敵と戦うことなく敗戦状態に陥るという、本書の主軸「戦なき令和の敗戦」について考え始めたのは、この付録で紹介する三氏へのインタビューによるところが大きい。もちろん他にも数多くの識者やジャーナリスト、アナリストへの取材を通じて「戦なき令和の敗戦」は形作られた。

二〇一七年から二〇一八年に行った示唆に富むインタビューを紹介しよう。

1 白井聡さん――「国体」から見えるもの

気鋭の政治学者は危機感を募らせていた。この国はどこへゆくのか。その考察は「国体論」へと向かっていった。

「明治維新から敗戦」「敗戦から現代」。この双方の時間量が二〇二二年に等しくなる。歴史と現代をひもとくことで国体としての「天皇」と「米国」の存在がまざまざと浮かび上がる。その着想と仮説、この国の行く先は――。京都精華大学専任講師の白井聡さんに聞いた。

白井聡（しらい・さとし）
一九七七年生まれ。一橋大学大学院社会学研究科博士課程単位習得退学。博士（社会学）。現在、京都精華大学専任講師。専門は政治学・社会思想。『永続敗戦論』（太田出版）で石橋湛山賞、角川財団学芸賞受賞。著書に『国体論――菊と星条旗』（集英社新書）ほか。

†着想の原点

五年前になる。『永続敗戦論』（太田出版）を書きながら気付くことがあった。戦後日本の対米従属の本質はどこにあるのかということ。日本の対米従属は世界でも類を見ないような特殊性がある。従属しているにもかかわらず、その事実を否認し続けているという点だ。この特殊性は一体どこからきているのか。

それは戦前の天皇制に由来するという推論に行き着いた。『永続敗戦論』が出た後に、対米関係の現場に立つ多くの人と話す機会を持ち、その中でますます確信を強めていった。米国の政治学者からは「保護国」と呼ばれ、オーストラリアの歴史学者からは「属国」とまで言われているにもかかわらず、なぜそのことを日本人は痛切に意識しないのか。あまりに不平等な日米地位協定を改定すべきだと主張しただけで、なぜ「左翼だ（愛国心が足りない）」という罵声を自称ナショナリストたちから浴びせられるのか。

こうした奇観の由来を捉えるためには、明治維新までさかのぼり、近代天皇制、つまり「国体」の概念から考えなければいけないのではないか。明治初期から現在までを「国体の歴史」として一貫した視座で捉えることで、いま私たちがどういう局面に立っているのかが見えてくるはずだと考えた。

†フルモデルチェンジ

着想という観点では、この考え方はいわゆる「戦前と戦後の連続／断絶問題」に対するアプローチでもある。常識的な見方として、近現代の日本の歴史は一九四五年を一つの折り返し地点として認識されている。つまり「断絶」が存在すると思われている。一方、連続しているものもたくさんあるという意味で「連続説」も有力ではある。福祉国家の形成や、産業の国家統制のあり方は戦時期に形作られたという見方は断絶説を相対化する。

戦前の国家主義のようなものから戦後の日本は脱却できたのだろうか、という問いはとりわけ重要だ。ファシズムに至ってしまった国のあり方から本当の意味で脱却できているのだろうかという批判は、戦後日本に常につきまとってきた。

しかし、断絶説も連続説も、そのままでは通用しない。完全に切れているわけではないが、何も変わらずに連続しているかと言えばそれも違う。だからと言って、「両方の側面がある」という解釈は単なる折衷(せっちゅう)であって、有意な歴史像を与えてはくれない。

私は、一貫した歴史像を得るために「フルモデルチェンジした」と捉えると適切なのではないかと考える。つまり、フルモデルチェンジを経て続いてきたのが「国体」だということ。

「連続」と「断絶」の双方を一貫した歴史像として描き出すためには、日本近代史を「戦前の国体」と「戦後の国体」に分けて、それぞれの形成・発展・崩壊の過程を見なければならない。この観点から『国体論――菊と星条旗』(集英社新書)を書き始めた。

†権威と権力の分離

天皇制論を研究する中で、明らかになってきたのは、「戦後の天皇制」全般に米国が深く絡み合っているという点であった。政治史的な事実として、米国が天皇の権威を破壊することなく利用することで、戦後の日本統治を始めたことは広く認識されているところだ。しかしこのことにとどまらず、「米国なるもの」がきわめて深い次元で戦後の天皇制に絡みついているということに気付かされた。

戦後の日本国や日本国民の根底に関わる形で「米国なるもの」が絡みついている。ここに「戦後の国体」の本質があるのではないか、という仮説に至った。

こうした着想と仮説を積み上げる過程で、二〇一六年八月八日、当時の天皇による「お言葉」が発表された。

天皇制の長い歴史を見たとき、その基本的なシステムの特徴は「権威」と「権力」の分離にある。天皇は、政治的支配の正統性の源泉をなす権威であるものの、自ら権力を掌握し執行するということは、例外的な時代を除いてはない。

他方で、最高実力者、例えば征夷大将軍が典型だが、その地位はあくまで朝廷によって与えられるもので、自らが権威の源泉になろうとはしてこなかった。世の中が平安な時代、うまく治まっている時代には、この権威と権力が良好な関係を築き、秩序を成り立たせてきた。

ところが歴史上、権威と権力の関係が悪化し、場合によっては闘争状態になる時代が何度か観察できる。権威と権力の間に齟齬(そご)が生じ、それが戦争の引き金にさえなった。そのような時代は平らかではなく、国難の時代であった。

国民統合の喪失

これを現代に重ね合わせてみるとどうか。

安倍政権成立以来、平成の天皇皇后両陛下のさまざまな言動は、政権側と厳しく対立していたように見える。それが完全に表面化したのが先述の「お言葉」だった。発表の仕方も異例だった。いきなりNHKのニュース速報が飛び出し「お言葉が出ること」を既成事実化した。

発表後、首相官邸側は、意を汲んだ腹心を宮内庁に送り込み、報復とも思える人事を行った。お言葉で方向が決まった「生前退位」について政府側は諮問委員会を作り、日本最大の右派団体である「日本会議」と密接な関係のあるメンバーを委員にして天皇批判を言わせた。こうして権威と権力とが対立関係にあることが顕在化していった。

発せられたお言葉の内容も非常に重要な事柄を含んでいた。「象徴天皇」とは一体何を象徴するのか。それを当時の天皇は強調した。いわく「国民統合の象徴」であると。統合のために全身全霊で祈ってきたのだと。なぜこの点を強調しなければならなかったのか。

それはいま「国民の統合」が危機にあるからだろう。

退位の意思の表明は「平成」という時代に幕を引くことを意味する。「平成」とはどのような時代であったのかといえば、「失われた三〇年」であった。この三〇年間で「国民の統合」はどんどん壊れていった。「退位」には、そのような時代をもう終わらせよう、という意味も込められているように思われる。

天皇は「国民統合についてどうお考えですか」と国民に問うている。国民の側がそんな問いを受け止めようともしない、あるいは「どうでもいい」と思っているのだとすれば、天皇はもう必要ない。統合がなければその象徴もあり得ないからだ。そうした切羽詰まった問い掛けが発せられたのだと思う。

国民統合の危機が進行するがままに放置され、日本がここまでおかしくなってしまっているのはなぜなのか。それは極めて不健全で特殊な対米従属によって社会が規定されているためだと私はみている。

実はいつの間にか、日本人にとっての米国は権力であるだけでなく、精神的な権威にもなってしまっているのではないか。事実上、天皇の役割を果たしているのではないか。そうした仮説に行き着いた。

†仰ぎみる「米国」

明治から戦前までの天皇中心の国体と、そこに置き換わる形で登場した米国中心の国体という構図がある。安倍首相を熱狂的に支持している人々がまさにこれを証明している。彼らの中には、政権と食い違う言動を取る天皇を批判し、さらには天皇のことを「反日」「左翼だ」と言ったりもする。

「反日左翼」とは一体何か。本来は共産主義者の末裔（まつえい）のことだろう。共産主義者はかつて、「天皇制を廃止しなければならない」という主張によって、天皇の不倶戴天の敵として位置付けられていた。古い言葉を使えば共産主義者とは「朝敵」である。つまり安倍首相を熱心に支持している人の中には「天皇は朝敵だ」と主張している人たちがいるということになる。

しかし、天皇は朝廷そのものなのだから論理的に倒錯している。この倒錯した論理から、彼らが事実上「天皇」と仰いでいる存在が別にあるということが示唆される。

彼らにとっての本当の「天皇」の存在たり得るものは一体なんなのか。それはつまり「米国」であるとしか考えようがない。

こういった屈折した精神状態について、単にばかげていると言いたいわけではない。大事なのは、ここには一般的な日本人の政治意識を煮詰めたものが見いだされるのではないか、ということだ。

戦後、日本人は一般的には親米的といえる。米国に対して漠然と親近感を持っているのが普通の日本人だ。私たちはコカ・コーラやマクドナルドのハンバーガーを食べたり飲んだりするだけでなく、親米感情に基づいて米国流の新自由主義的なグローバル化を「正しいこと」と受け止めてきた。

この「なんとなくの思い込み」を、政治的に明白な形で煮詰めていけば、安倍首相を熱心に支持する人々の思想にたどり着く。

「私たちの天皇は、米国だ」という状態。これを首肯するのか。

仮に国民の答えが「それでいい」ということであれば、日本の天皇はもういらない、ということになる。二〇一六年八月の当時の天皇による「お言葉」からは、そうした問いを読み取ることができる。

「お言葉」が出てきたとき、私は衝撃を受けたが、同時にこれは必然だとも思えた。米国が天皇として完全に機能するのならば、そのとき最も立場を失うのは日本の天皇だからだ。それだけの危機感が「お言葉」には滲んでいた。

これを聞いて私は、それまで考えてきたことが間違っていなかったと確信するに至った。

†戦前史、戦後史の三段階

『国体論』が提示する仮説の歴史像とはどういうものか。

「明治維新から敗戦」までが七七年間。「敗戦から現在」も七〇年を超え、この双方の時間量がいま同等になりつつある。二〇二二年には戦後も七七年間となる。同じような長さになるのだから、同じような整理の仕方が可能なのではないか。

私なりの整理では、戦前の国体の歴史は三段階に分けられる。

第一段階は、明治維新からさまざまな領域での近代化革命があり、対外的には日清日露戦争という二つの戦争に勝ち、帝国主義国家へと成長していった段階だ。この時期は「天皇中心の国」という観念が制度的に確立された「国体の形成期」と呼びうる。

こうして、独立を貫き一等国になるのだという明治日本の目標がある程度達成されたので、権威主義的国家体制がいったん緩む。これが大正デモクラシーの時代であり第二段階と位置付けられる。この時期には、自由主義化と民主主義化が進行し、同時に天皇の存在感が薄れた。

ここで十分に自由主義、民主主義の国家になれればよかったが実際にはそうなれず、第三段階である昭和のファシズムの時代に入っていく。この路線は最終的に、大東亜戦争の敗北という形で国家の一大破綻を迎え、国体は崩壊した。

戦前についてはこのように、歴史の軌道に関してかなり明確な整理がなされ、一定の共通認識がある。

では、同じ程度の長さになろうとしている戦後史についてはどのように区分けし、時代を特徴づけられるだろうか。一般社会にも、学問的にも、確たる共通の了解がない。

そこで私の『国体論』の着想を当てはめてみる。戦後史の区分は、戦前における「天皇」に対置して「米国」を代入するとさまざまな事柄がすっきりとみてとることができる。

焦土から始まり、急速な復興を成し遂げ、経済大国化を果たした、およそ一九七〇年代前半までの時代が、明治期の近代化に相当する第一期だ。戦前における明治期の「天皇中心の国造り」は、戦後における、米国に付き従うことによって達成された復興と成長の物語と相似する。

戦前、天皇支配が緩んだ大正期と類似するのは、七〇年代以降、米国の相対的地位低下が始まる時期と重なる。八〇年代に至っては「ジャパン・アズ・ナンバーワン」とまで言われ、「米国なにするものぞ」という雰囲気となった。いまから考えれば空(むな)しいおごりだったわけだが、米国への従属の事実が見えなくなる時代を迎えた。

本来はこの時期、ある面では米国を凌駕(りょうが)する勢いがあったわけだから、対米自立を果たすことが可能だったはずだ。だが、そうはならなかった。

大きなターニングポイントは一九九〇年前後であり、ここから「戦後の国体」の第三期、崩壊期が始まる。ソ連が消滅し冷戦が終わった。それは「米国が日本を守ってくれる時代の終わり」を意味した。共通敵が消えたことで、米国にとっての日本は、庇護すべき対象から、収奪の対象へと根本的に位置づけが変わる。

本来そこで、日本側からの抵抗があるべきだったが、なかった。政官財学メディアの主流派は、対米自立の戦略どころかその必要性を想像することさえしなかった。その結果、米国の保護下にある理由がなくなったにもかかわらず、いやむしろ、なくなったからこそ従属を深めていくという、非常に逆説的な状態が生じていった。

敗戦後の余儀なき選択であり、復興の手段であった対米従属は、自己目的化されてしまったのだ。

これを戦前に置き換えれば「国体の不条理」と相似形をなす。当時、国体に対する批判は完全にタブーとされ、その観念は思想と政治的自由の限界を画していた。あの戦争の末期には、「国体護持」が至上命令となったために、際限なく犠牲者を増やし続けた。これと同じ状況は現代にも想定できる。

安倍政権下で起きていることは、特殊な対米従属という「戦後の国体」をあらゆる犠牲を払っても護持する努力である。したがって今後起きるであろう出来事は、さらなる腐敗、堕落の極み、そして最終的には不可避的な破滅であるということになる。

†家族国家観が内包する矛盾

対米自立できるタイミングがあったにもかかわらず、自立の戦略を描かず、むしろ従属を深めてきた日本。多くの国民は「米国への従属」を自覚することなく、それを自明のことと捉えている。その傾向は、二〇一二年一二月の第二次安倍内閣発足以降加速し、病的なものとなってきた。なぜこうも不条理なことが起きているのか。それはまさに対米従属が戦後日本の「国体」に他ならないからだろう。

戦前期には、大正デモクラシーの一時代があったにもかかわらずファシズムの時代を迎えた。それは大正デモクラシーの限界が天皇制によって画されていたからではないか。その核心とは何か。私が『国体論』で打ち出したのが家族国家観だ。「天皇陛下の赤子（せきし）」という言葉に代表されるように、日本国民は一つの大きな家族であるとみる考え方が、明治期から強力に形成されていった。

この家族国家観の問題点の核心は「支配の事実の否認」にある。

国家はその本質上、究極的には暴力によって担保される「支配」のシステムだ。だが家族国家観は、「これは支配ではない。私たちは一つの家族なのだから「支配」などというギスギスした話はやめようよ」という論理を持ち出す。

これは西洋で発明された近代国家の理論とは根本的に食い違う考え方だ。一七世紀の政治哲学者トマス・ホッブズが主著『リヴァイアサン』でどのような議論をしているか。彼によれば、人間とはすさまじいエゴイストで、自分の利益だと思えば何でもやる。そこには善悪の基準など存在しない。そのような人間が集まれば互いに奪い合い殺し合うことになる。「万人の万人に対する闘争」、つまり戦争状態になる。

しかしそれでは結局全員が不幸になる。そこで「人のエゴは徹底的に衝突する」ことを前提に、正当なエゴイズムと、不当なエゴイズムとの間に線引きをし、秩序を作ろうという議論をしている。ここに「権利」という観念が生まれる。正当なエゴイズムの主張が「権利」だ。

ところが、明治期に日本で形成された「国体イデオロギー」は、このような近代的政治理論を真っ向から否定するものだった。「日本人は一つの家族であり、したがって最初から仲良く調和している。エゴの衝突はそもそもあり得ない」という前提に立つ。そして、天皇は日本人という一大家族を温かく見守る「大いなる父」であるとされた。

これは、「わが国では一度も王朝が交代していない」とする万世一系イデオロギーと深く関連する。それによると、日本の天皇は、中国の皇帝や西洋の王様と似ているように見えるが、実は全く異なるのだ、という。皇帝や王様は「支配する」君主であり、国民がみんなエゴイストで互いに衝突するから、上から押さえつける君主が求められたのだ、と。

だが、君主も自身のエゴイズムを持っている。だから時に民衆の反発を招き、王朝が倒されて交代したり、王制そのものが廃されたりした。

そのような外国の歴史と比べると、日本国の歴史は卓絶している、という理屈を国体イデオロギーは立てた。天皇も国民もエゴイズムがないから衝突しない。ゆえに一度も王朝は倒れず、万世一系が貫かれてきたのだ、と。

これは物語としては美しく感動的かもしれない。しかし、実際にはまがまがしいものだ。なぜなら、日本の国家というものは間違いなく権力であるし、この権力に従わない者に対しては命を奪いもする。だから「家族国家観」という考え方は、支配機構自体が、自らが支配機構であることを否定しながら支配することに帰結する。いわば、拷問をしながら「これは愛の鞭（むち）なんだ」と言うようなものである。

†権利に冷たい社会

国体観念に端を発する社会観は現在、非常に重大な危険をもたらしている。いまだに「権利」という概念は日本社会に定着していない。その証拠に、いまの日本は権利を要求する人たちに対してものすごく冷たい社会となっている。権利の主張に対して強迫的な反応さえもたらされている。

そもそも権利概念は、個人のエゴイズムを認め、それが衝突することを前提に存在している。だが、エゴイズムは存在しないという前提に立つと、権利の観念も必要なくなってしまう。

したがって、すべての日本人は潜在的に無権利状態にあるのだろう。だから、誰かが「私の権利を回復せよ」などと言い出すと、その人があたかも不当な特権を要求しているかのように錯覚される。そして主張した人が袋だたきに遭う。

この状況は、明治時代に生まれた「家族国家観」という国体イデオロギーがいかに強力で長命かを物語っている。ここに、米国を媒介として国体の構造が生き延びたことの深刻さが浮かび上がる。

対米従属が対外的なものだけであれば世界中どこにでもよくある話にすぎないが、日本はそうではない。日本社会を内側から腐らせてしまっている。

ただ、二〇一一年三月一一日以降、つまり東京電力福島第一原発の事故以降、「この国は、どこかとてつもなくおかしい」と感じ始めた人々の多くが「なぜこうなっているのか」と考え、根本に奇妙な対米従属があるということに気付き始めている。これがやがて、社会変革の大きなうねりをつくり出す可能性がある。

†覇権の移動と、価値なき国民の末路

しかし、社会の大勢はそうした危機的現状を正確には認識していない。安倍晋三首相が長期政権を実現できたのはそのためだ。氏には、日本の未来について何のビジョンもなく、あるのは自民党支配の成功物語という記憶のみであり、そこにすがるしかない。だから東京五輪だ、大阪万博だ、という話になってしまう。

この粉飾のような政治を続けていては経済破綻か、あるいは戦争か、そうした破滅的な結末は避けられないだろう。

そして中国の大国化と、衰退する米国の抵抗が、どこへ帰結するのか。全く予断を許さない。いずれにしても、国際的には覇権の不安定化が起きつつあり、情勢は流動的だ。二〇世紀には覇権が大英帝国から米国へと移り、その過程で二度の大きな戦争が起きた。今後、長期的には米国の覇権が中国、中華圏へ移っていくようにみえる。この過程で大きな戦争を含むさまざまなことが起きうる。

仮に戦争が起きると、誰かが、それも大量に、死ななければいけない。それは「誰」か。

米国人も中国人も自分たちは死にたくはない。しかし誰かに死んでもらわなければならない、となったとき「こいつらだったら死んでもいいや」と見なされるのは誰か。最も選ばれやすいのは「価値の低い命」だ。

それはずばり日本人なのではないかと私は思う。

コンプレックスとレイシズム（人種差別主義）がアイデンティティーとなっている国民が数多くいて、現実を直視せず奴隷であることや属国であることを否認し、自由を求める人を引きずり降ろすことが娯楽になっている国。奴隷根性を完璧な水準で内面化した人々で構成されている国。こんな国の国民に価値があると見えるだろうか。

大国が戦争するとき、「こいつらは価値が低い」と認識されることが、どれだけ恐ろしいことか。私たちは、自分たちがいまどのような状態に置かれているか、客観視する必要がある。

そして戦前戦後を貫く国体のシステムが、私たちという価値の低い国民をつくり出したということに気付かなければならない。

この重大で差し迫った危機を認識することが、現状から脱け出すための第一歩になる。

（二〇一八年九月二五日取材）

2 井手英策さん――「分断」なくす再分配を

いま生きる社会において「生活は将来にわたり良くなっていく」と感じている人の割合は一割にも満たない。老後に不安を感じる人は全体の八五％を超える。「互いが互いを蔑み憎むような社会が生まれている」――財政社会学者の井手英策さんは不安が渦巻く社会に「分断」の奈落をみる。このままでは社会が崩壊する。「誰もが不安から解き放たれるためにはどうすればいいか」。明確な意思と魂を込め、学究人の英知をかけた処方をいま、世に問い掛けている。

井手英策（いで・えいさく）

一九七二年福岡県生まれ。博士（経済学）。東京大学大学院経済学研究科博士課程単位取得退学。現在、慶應義塾大学経済学部教授。財政社会学を専攻。『経済の時代の終焉』（岩波書店）で大佛次郎論壇賞受賞。著書に『いまこそ税と社会保障の話をしよう！』（東洋経済新報社）、『富山は日本のスウェーデン』（集英社新書）ほか。

†自殺率が下がった理由

日本人が最も豊かだったのはいまから二〇年前のこと。この二〇年間に何が起きたか。

総務省「労働力調査」を基に厚生省が作成した資料によると、一九九〇年代半ばから専業主婦世帯と共稼ぎ世帯の割合がひっくり返り、いまでは共稼ぎ世帯の方が圧倒的に多い。世帯収入四〇〇万円以下も増加し、全体のほぼ五割を占めている（厚労省「国民生活基礎調査」）。家計の貯蓄率は一九九七年度から急激に減少し二〇一三年度にとうとうマイナスになった（内閣府「国民経済計算」）。直近で少し上がったがそれでも二％にすぎない。

一九九七、九八年にかけて非正規雇用化が急速に進み収入はどんどん減り貯蓄率が落ちた。この時期に日本の経済と社会は一変した。

何が起きたか。稼ぎ主だった男性の自殺率が急上昇したのだ（厚労省「自殺対策白書」）。

最近、自殺率が下がって良かった、と言う人がいるが完全に見誤っている。自殺率が下がったのは、年金がもらえる年齢になり死ななくて済むようになっただけだ。挑発的な表現をすればつまり「人が死に尽くした」ということ。恐ろしい社会が眼前にある。

†経済成長はもうない

国を包む絶望的なまでの未来への不安に対し、政治はいまも「経済成長」という一つの答えしか示していない。

明確にしておく。日本経済がかつてのように成長できる可能性はゼロだ。

まず一人当たり国内総生産（GDP）。日本はかつて先進国でトップクラスだったが、いまや二六位。バブル崩壊後の一九九一年からの二五年間で日本経済の平均実質成長率は〇・九％。二〇二〇年の東京五輪開催後から五年間の平均成長率は日本経済研究センターの推計で〇・五％。五輪の六～一〇年後の成長率はほぼゼロパーセントだ。日本銀行が試算した潜在成長率でも中長期的にみて日本経済は〇％台の半ばから後半とされている。

以前のように日本経済は成長しない。これは論理的にも明白なことだ。成長を決める一つ目の要素は労働力人口。間違いなく減る。次に設備投資。多くの企業が海外に拠点を移したいま、かつてのような設備投資を国内で行うことは不可能だ。

そこで結局、頼るしかないのは「イノベーション」（技術革新）だ。経済学の本をいくつか読めば、最後はどれも「イノベーションが日本経済を復活させる」となっている。だがそんないつ起きるか分からないことに、国民の運命を託すようないいかげんな政治を許すわけにはいかない。

ではどうするのか。

まず、苦しんでいるのは一部の誰かではなく、多くの人だという認識を持つ必要がある。「自分の所得階層はどこか」という趣旨の質問に、「自分は下流、低所得」と答える人は四・二%しかいない。一方で「中流、平均、中間層」と答える人は九二・七%もいる（内閣府「国民生活に関する世論調査」二〇一八年）。

世帯収入三〇〇万円以下が全体の約三二%を占める現実を踏まえると、日々の生活は相当厳しいにもかかわらず、中間層で踏ん張っているのだと信じたい人が大勢いるということだ。

二〇一七年一月、神奈川県小田原市で生活保護を巡る問題が発覚した。職員が「保護なめんな。不正受給は人間のくず」と記されたジャンパーを着て利用者宅を一〇年にわたり訪問していた。一番の被害者は言うまでもなく利用者だ。ただ知るほどに職員やケースワーカーが置かれた状況はひどい。仕事は大変だが役所の仲間は助けてくれない。その中で内向きになりジャンパーを着て団結した。追い込まれた人たちが、自覚もないまま他者を差別した。僕には弱者がさらなる弱者を虐げているようにしか見えなかった。

　これに気付くと、二〇一六年七月に相模原市の障害者施設で起きた殺傷事件も違って見える。自分の苦しさに耐えかねた人が、さらに弱い者をたたく、殺す、傷つける。そうすることによって自分の居場所を確かめ、精神的な安らぎを求めようとする社会が出来上がっている。

　尋常ではない。痛みきっている。だが僕たちはもう一度ここで踏ん張らなければいけない。だから僕は、できることの一つとして新たなる分配の提案をする。

†痛みと喜び、分かち合う

　例えばA年収二〇〇万円のAさんと、年収一〇〇〇万円のBさんがいるとする。この格差五倍のAとBに同率二五％の税負担を課す。

　税引き後の収入は一五〇万円と七五〇万円。格差は五倍のままだが、いま合計で三〇〇万円の税金が入った。これを全額両者に分配してみよう。一五〇万円分ずつ、AB両者に、医療や介護、教育などのサービスとして提供する。するとどうなるか。

　単純に足せばAは三〇〇万円、Bは九〇〇万円となり、格差は最終的に三倍に縮小する。

Aは五〇万円しか税金を取られずに一五〇万円分のサービスを受ける。一方、Bは二五〇万円も取られて一五〇万円しかサービスを受けられない。こんな再分配もあるのだ。

Bは負担のほうが大きい。であれば、Bは反対するのではないか。

だがこの仕組みなら、Bは将来的に病気や失業、けが、さらにどれだけ長生きをしても安心して生きられる社会がやってくる。人生に訪れる何度かの不安から自由になれる。Bが損をすると分かっていても、民間の保険に入っている現実を思い起こせば良い。

皆が負担する代わりに、皆が不安から解き放たれる。安心して生きていく社会のために痛みと喜びを皆で分かち合っていく。これは国の財政の基本だ。

これには「大増税になる」という批判が出る。

では例えば「消費税一六%」にしたら、税率が高過ぎるだろうか。

税の国民負担率からすると、フランスやスウェーデンのような重税国家にはならない。欧州で平均的な大きさのドイツ程度にもならない。小さな政府とされるイギリスとドイツの中間くらいの負担になる。さほど高いとは言えないだろう。

では税率を引き上げた分の税収をどう使うか。医療費の三割負担。いまは四・八兆円を国民が負担している。大学授業料の自己負担は三兆円。介護は八〇〇〇億円。幼稚園・保育園は八〇〇〇億円。障害者自立支援法施行以降に発生した自己負担は数百億円。

全部足すと一〇兆円弱だ。消費税を六％引き上げられれば、これらのサービスはほぼ無償化できることになるだろう。人びとが税に反対するのは、使いみちがハッキリしていないからだ。何のために税を集め、どうやって税を取るのか。それを考えることこそが、民主主義の重要な役割のはずだ。

効果はそれだけではない。いま多くの人は一〇〇歳まで生きた場合に備えて貯蓄し消費を削っている。だが税は違う。五〇歳で死ぬ人と、一〇〇歳で死ぬ人がいても、平均寿命を想定して財政で備えればいい。必要最小限の税だけ取れば足り、残りはすべて消費に回していい。

格差を縮め希望の灯を

なぜこんなにお金や貯蓄が大切なのか。僕たちの本当の目的は何か。

それは未来の不安から解き放たれたいからだ。つまり経済は手段にすぎない。

もう「経済は成長しない」と考えよう。そうであれば違う方法で不安から自由になればいい。あらゆる人々の幸福を考え、結果的に格差を縮め、しかし誰もがどんな家庭に生まれようと安心して生きられる社会ができてしまえば、誰もがフェアな競争に参加できる。そうした社会がやってきたときに、その結果生じる格差は「許容可能格差」となる。

常に存在する格差に対して、人々が寛容でいられる社会を目指したい。それが本当の意味で社会の「分断」をなくしていく唯一の道だろう。家族のようにみんなが苦楽を共に分かち合いながら、新しい希望の灯をともすような社会を目指そうじゃないか。

†誰もが堂々と生きる

こうした発想に至った理由。それは僕の生い立ちと関わっている。

うちは母子家庭だった。母が四〇歳の時に僕は生まれた。出身は福岡県久留米市。僕を身ごもった時、母の親友は泣きながら止めたそうだ。あんた生活保護もらわんと生きていかれんよ、子どもは諦めろ、と。だが母は僕を産んでくれた。

僕はこれまでに三回、死にそうになったことがある。最初は生んでもらえた時。二度目は母が商売を始め、借金をこさえた時のこと。僕は二六歳だった。返済を巡ってヤミ金融の人たちと口論になり、車で連れていかれた。三度目は二〇一一年四月に外傷性の脳内出血で倒れたとき。なんの障害もなく、いま歩いて話せるのは本当に奇跡的なこと。生きるか死ぬかの境を彷徨（さまよ）った。家族にも本当につらい思いをさせた。

三回も命拾いすれば誰だって気づく。僕は本当に運がいい。だから思う。運が悪いだけで不幸な目に遭うような社会は絶対許せない。

僕には右手のない叔父がいた。戦争中に勤労奉仕で作業中に機械に巻き込まれ、腕を失くしたのだった。

叔父は、国と企業から障害年金をもらっていて、その一部をうちに入れてくれた。叔母もいた。最後まで独身だったが、朝から晩まで働き、その金をうちに入れてくれていた。

僕にとって家族とは障碍者（しょうがいしゃ）もシングルマザーも働く女性もいた。その中でみんなが、僕の健やかな成長だけを願い助け合いながら一生懸命生きていた。

幼いころ、叔父や叔母がお金を入れてくれていることを知らなかったから、不思議でしかたなかった。母はいつも僕のそばにいてくれるのに、お金があったからだ。小学校三年生の時に初めて生活保護の仕組みを知って、これだ、と思った。

いまもよく覚えている。学校から帰って来て、ガラガラッと扉を開けランドセルを畳に放って言った。

「お母さん、お母さん。うち生活保護もらっとるっちゃろ」

すると母が血相を変えて飛び出してきた。

「なんば言いよっとね！」

いま思えば僕に言ったわけではなかったのだろう。

近所に聞かせるかのように、母はものすごい激しさで怒鳴り散らした。

「そげんか恥ずかしかもん、うちは一銭ももろうとらん。そんかもん、もろうとったら、あんたが恥かこうが！　絶対そげんかことよそ様に言いなさんな！」

僕は怖くて泣いた。いま思えば、これは暴言だ。生活保護は権利なんだから、堂々と使えばいい。だが、あのように言い放った、母の、日本人のメンタリティは理解できる。人様のご厄介になるのは恥だという、道徳観だ。僕はこの記憶、この問いから逃げたくなかった。

人を助けることを「悪いこと」と言う人はいない。だが助けられる人の心には屈辱が刻み込まれるかもしれない。これは必ず一歩引いて考えておかなければいけないことだ。

だから、施して、格差を小さくすればいいという社会は僕には受け入れられない。この社会には落とし穴がたくさんある。運が悪かった、それだけの理由で落とし穴に人は落ちる。リベラルはそれを助けろという。落ちた人はじっと歯を食いしばって耐えている。

何もかもがおかしい。僕たちがやるべきことは唯一つ。穴を埋めることだ。税の話をすれば嫌われる。だが、僕は、誰ひとりとして、屈辱的な思いをせずに、堂々と生きていくことのできる社会をめざしたい。すべての人が、不安を抱えずに、安心できる社会だ。それが、いま僕たちが目指すべき社会の姿だと僕は思うからこそ、僕は、たとえ嫌われても税の話をしなければならないと思っている。

3 木村草太さん——「自衛隊」明記提案の乱暴さ

本書中でも何度か触れているが、二〇一七年五月三日の憲法記念日。日本国憲法が施行されて七〇年という節目の日に、安倍晋三首相は保守系組織の集会にビデオメッセージを寄せ、また読売新聞のインタビューに応じる形で自身の「改憲提案」を披瀝した。

憲法学者で東京都立大学教授の木村草太さんはそこに通底する「乱暴な為政者の姿」を見ていた。

木村草太（きむら・そうた）

一九八〇年神奈川県生まれ。東京大学法学部卒業、同助手を経て、現在、東京都立大学法学部教授。専攻は憲法学。著書に『キヨミズ准教授の法学入門』（星海社新書）、『憲法の創造力』（NHK出版新書）、『自衛隊と憲法』（晶文社）、『憲法という希望』（講談社現代新書）、小学生向けの著書に『ほとんど憲法』（河出書房新社）など。

†集団的自衛権という難問

自衛隊について憲法に明記しようという議論は特に目新しいものではない。ただ二〇一四年七月以降、集団的自衛権の行使容認が閣議決定され、それに伴い二〇一五年八月に安全保障関連法が成立したという要素が加わったことで、憲法九条と自衛隊を巡る議論はかなり複雑化した。

個別的自衛権の範囲を維持したまま憲法に自衛隊を書き込むというのであれば分かりやすかった。だが、いまになって自衛隊を書き込むとなると、集団的自衛権についてどう扱うのかが難問となる。

†対話能力の欠如

自衛隊を明記する方法としては二つあり得るが、いずれも与党にとっては都合が悪い。一つ目は、自衛隊の任務について個別的自衛権に限定した形で明文化する方法だ。だがこれでは現行の安保法制が明確に違憲となるため、与党としては採用し難い。

では、集団的自衛権をも含む、と明記する場合はどうだろうか。この改憲提案は否決された場合がまず大問題となる。安保法制に対し国民が「NO」を突き付けた形となってしまうからだ。

もちろんこの案で可決できれば、安保法制は明確に合憲であるという根拠が与えられることになる。だがそう簡単にはいかないだろう。いまでも安保法制への反対は根強い。国民投票は当然、「安保法制の合憲性を問う」形でなされることとなる。再び反対運動が盛り上がる可能性は高い。

重要な点は、安保法制を成立させたときとは異なり、話が国会の中だけでは完結しないということだ。したがって国民投票で決着することは、与党としては大博打を打つこととなってしまう。

いずれにしても与党にとってはよろしくない出来事になってしまう。

ではなぜ安倍首相は唐突に、練られてもいない考えを披瀝したのか。よく分からないが、詰まるところ自身の意見を国民にきちんと伝える能力が低いのだろう。

†国民に選択肢を

では安倍首相はどのように憲法九条改正を訴えればよかったのだろうか。私が事前に相談されていれば、こう答えた。

いま九条改正について、世論には大きく分けて三つの見解がある。

一つは「護憲」。二つ目が「自衛隊を明記し、個別的自衛権に限定する」。三つ目が「自衛隊を明記し、集団的自衛権も認める」。

改憲提案の際には、国民がこの見解を適切に受け止められるようにする必要がある。

例えば、先に挙げた二つ目と三つ目についてはこうだ。

〈自衛隊　＋　個別的自衛権明記〉

〈自衛隊に集団的自衛権を認め、その行使の範囲や手続きを明記〉

この二つを別々の改憲案として国民投票で提案する。

国民はこの二つの項目にそれぞれ「○」か「×」を付ける。つまり、集団的自衛権は認めたくないが、個別的自衛権の範囲は認める改憲に賛成の人は「○×」。集団的自衛権も認める人は「○○」と書けばいい。もちろん護憲の人は「××」となる。

現行の安保法制については疑義があるため、いったん廃止する。そして、国民投票の結果を受け、認められれば再び成立させる、認められなければ廃止したままにする、という説明をすれば、国民の側も「なるほど」と納得するのではないか。

仮に安倍首相がこうした丁寧な提案をしていたらどうだろうか。どのような立場の人も意見表明しようと思えるのではないか。あるいは多くの国民が自分の考えを自問したかもしれない。憲法は本来どうあるべきか、と。

首相の本来の狙いはここにあったはずだ。護憲派もメディアも野党も、この改憲論議になら乗ってきた可能性があった。

しかし安倍首相はいきなり「自衛隊を明記します」と言い出したがために反発や警戒、そして不信を生んでしまった。

もう一つ指摘しておきたいのは、安倍首相は一連の発言で自衛隊に対して「違憲」の疑いをかけたという事実だ。そもそも首相の地位にあり、かつ自衛隊の最高指揮官が、自衛隊に違憲の疑いを持っているという事実は、首相として不適格であると判断されてもおかしくない。また国会の場で、そうした疑いを持っているのか、という質問をされれば自らの考えを真摯に述べて答えるべきだろう。首相としての資質を判断するために国会が知っておかなければならない内容だからだ。

†想像以上に危険

では安倍首相が主張している「自衛隊」の任務を示さずに組織名だけ文言として書き込むというのは、一体どういうことなのだろうか。

譬（たと）えてみよう。遠足のしおりに、「前回、酒を持ってきて大騒ぎした人がいるので、今回は飲み物を持ってくることを禁じます」と書いてあるとする。

一方で同時に「熱中症を防ぐために適切に水分を補給しましょう」とも書いてあるとする。すると禁止された「飲み物」には、水分補給のために必要最小限度の水は含まれない、これは最低限度の水は持ってきていい、という解釈もできる。

「飲み物禁止」が戦力保持を禁じた九条一項と二項、「適切な水分補給」が国民の生命・自由を国政の上で最大限尊重すべしとする一三条、そして必要最小限度の水分が、九条二項で禁止された「戦力」には自衛のための必要最小限度の実力は含まれないとする自衛隊、という解釈だ。

こうした中で「自衛隊を設置してよい」という文言を書き込むというのは、いきなり「水筒は持ってきていい」と書くようなものである。中身には言及しない。すると、これまで通り「水だけ」という解釈もできるし、あるいは「ジュースを入れてもいい」「いや、ちょっとなら酒もいい」「ひょっとしたらウオッカでもいい」という余地を生み始める。

これは乱暴な提案であって、想像以上に危険な改憲と言えよう。

現時点では、安保法制や集団的自衛権と絡めた形で自衛隊の違憲性が議論されていない。この論点はかなり複雑であって、安倍首相の希望がもし叶って改憲提案を二〇二〇年までに施行するとなると、相当乱暴なやり方となる。

また、「自衛隊」を明記するという改憲提案が国民投票で否決される可能性について、きちんと考えておく必要がある。安倍首相による改憲提案直後の世論調査でも賛否は割れていて、否決の可能性は決して低くない。

さらにこれまでの傾向からして、提案直後の賛同は議論が進むにつれ低減していく。改憲の発議要件を定めた憲法九六条自体を改める提案でも、緊急事態条項を創設する改憲案でも、安保法制でも、共謀罪法でもそうだった。時がたち議論を重ねると、本質的な問題点が明らかになっていく。

いずれも瞬間最大風速は、提案直後に吹いていた。このような状況で「自衛隊」を明記する改憲提案が否決された場合、自衛隊の存在自体が否定されたことになってしまいかねない。その結果が生む自衛隊や隊員への侮辱について、安倍首相はどれだけ考えただろうか。練られていない構想を口にし、引けなくなったところで、やけになって改憲提案し、否決されてしまうような事態だけは絶対に避けなければならない。

安倍首相が示した乱暴な改憲案が可決されたらどうなるかを、よく想像し、賛成か反対かを私たちは今一度再考しなくてはならない。

（二〇一七年五月七日取材）

おわりに——この国は「敗戦」へと向かっている

先の大戦で日本は、もはや勝ち目のない戦に突撃し、あがめたてた「国体」を失うところまで国家は崩壊し、国土は焦土と化した。

そして令和となった現在。本書でみてきた通り、日本は国家との戦争ではなく、敵なき敵との戦いに挑み、失策に次ぐ失策を重ね、自滅のときを迎えようとしている。私はここに近似する構図をみる。

前世紀の敗戦末期にこの国は、現実には負けているのにもかかわらず「勝っている！」と喧伝し、国民に貧しさを強いている現実を覆い隠すため「欲しがりません！　勝つまでは」という標語を掲げ、黙らせた。物資や食糧の補給の見通しも立たないのに戦線を拡大し続け、進軍した部隊が全滅したときには「玉砕」という言葉を使い美化していった。「玉砕」とは玉が美しく砕けることを意味する。

大本営が初めて「玉砕」の語を使ったのは、一九四三年五月アリューシャン列島アッツ島での敗戦だったという。アッツ島守備隊約二六〇〇人は米軍の猛攻撃を受け、弾薬などの補給もないまま多くの兵士が倒れ、残った約一五〇人で突撃し、全滅した。大本営はこのころから、退却を「転進」、戦死を「散華」と言い換え始めたという。こうした大本営の発表に、当時の主要メディアである新聞とラジオが軒並み同調していった。勝ち目のない戦争を継続、拡大するその片棒を、当時の新聞が担いでいた。いや、むしろ先に立って、国民を正面から煽(あお)り立てたのであった。

現在はどうか。経済は破綻の先送りを宿命的に続けている。賃金は下がり、数字としての成長率はほぼ横ばい。働く人々は超長時間労働を強いられ、残業代を支払わない悪質な企業が幅を利かせている。私たちの生活は確実に貧しくなっているにもかかわらず、政府の見解は「緩やかな景気回復を続けている」から変わることがない。

本書中に何度も引用した二〇二〇年一月の安倍晋三首相による施政方針演説はまさに大本営発表であった。現実の窮地を直視せず「勝てる!」「もう少しだ!」と言う勇ましいだけの空しい雄叫びであった。

〈世界の真ん中で輝く日本。希望にあふれる誇りある日本を創り上げる〉

全滅を「玉砕」と言い、退却を「転進」と言い換えたあの時代とまさしく相似形をなす。「欲しがりません！　勝つまでは」と掲げ、人々が黙らされるときは、もう眼前にある。

二〇二〇年一月以降、中国で発生した「新型コロナウイルス」による肺炎が世界を揺るがしている。二月には約三七〇〇人が乗船する大型クルーズ船「ダイヤモンド・プリンセス」の利用者から感染者が見つかり、その後、乗客から続々と感染者が出た。日本国内でも死者が出ている。検査態勢が整わないまま下船が始まったものの、陰性だった乗客が下船後に陽性と判明したケースもあった。

中国での感染者、死者数からすれば、政府の対応が後手に回ったのは明らかだ。二月二五日時点で中国政府の発表によると中国国内の死者は計二六六三人、感染者数は計七万七六五八人に上る。日本国内でも二月下旬ごろから「感染ルートをたどれない発症者」が出始め、いわゆる「感染拡大期」に入ったことがうかがわれ始めた。クルーズ船への対応で後手に回った政府だが、この二月下旬以降、さらに迷走を極める。

日本政府は二月二四日付で基本方針を発表。専門家会議は「これから一～二週間が急速な拡大に進むか、収束できるかの瀬戸際」と指摘した。この時点では「市町村単位で」学校の臨時休校も積極的に検討するよう各都道府県の教育委員会に通知した。

ところが二七日夕刻になって安倍首相は「新型コロナウイルス感染症対策本部」会合の場で、突如として「全国全ての小学校、中学校、高等学校、特別支援学校について、来週三月二日から春休みに入るまで、臨時休業を行うよう要請」する、と表明した。この日は木曜日で教職員は既に帰宅済みの時間帯だったこともあり、翌二八日(金曜日)は全国の小中高校や教育委員会は朝から混乱を極めた。そもそもこれほど重大な決定について、なぜ専門家会議での議論を踏まえずに決めたのか。萩生田光一文部科学大臣が「全国一斉休校」について知ったのは二七日の午前だったという(三月二日参院予算委員会答弁)。

迷走はさらに続く。安倍首相の表明の翌日、萩生田文科大臣は「地域や学校の実情を踏まえさまざまな工夫があっていい」(二八日午前、閣議後会見)と発言。時期や期間については各地の教育委員会が柔軟に判断していいと含みを持たせた。これがさらなる混乱を招く。安倍首相は当初三月二日(月曜日)から春休みに入るまで(三月二五日前後)としていたためだ。

こうした迷走の末に、安倍首相は二九日(土曜日)に記者会見を開く方針を示した。

会見は、案の定と言うべきか、あきれるほどに情緒的にして勇ましさだけが際立つ空虚な方便であった。

「学校を休みとする措置を講じるのは断腸の思いです」などと神妙な面持ちでプロンプターに表示された文面を読み上げていたが、私が背筋を寒くしたのはこの発言であった。

〈今回のウイルスについては、いまだ未知の部分がたくさんあります。よく見えない、よく分からない敵との闘いは容易なものではありません。（中略）しかし、それでもなお内閣総理大臣として国民の命と暮らしを守る。その大きな責任を果たすため、これからも先頭に立って、なすべきことは決断していく。その決意であります。終息への道のりは予断を許しません。険しく厳しい闘いが続いていく。そのことも覚悟しなければなりません〉

（二〇二〇年二月二九日内閣総理大臣記者会見）

「闘い」「決断」「決意」そして再び「闘い」「覚悟」――。

質疑を含めて三六分間の会見で「責任」という言葉を計八回も口にした安倍首相。「先頭に立って」などと果敢さを強調するが、会見の進行役が「予定の時間をオーバーしておりますので」という声に合わせて資料を閉じると、「まだ質問があります！」と記者側から声がかかるも、足早に会見場から立ち去った。重要な会合でもあるのかと思ったが、同日の時事通信による「首相動静」をみるとこうあった。

午後六時から同三六分まで、記者会見。

午後六時五七分、官邸発。

午後七時一二分、私邸着。

午後一〇時現在、私邸。来客なし。

会見直後に帰宅していたのである。ただただ虚しさだけが募る。「危機だ」だと煽り立て勇猛さを装い、「責任」や「決断」などと力強い言葉を多用するものの、自身の決断の責任を取ったためしがこれまでにあっただろうか。

しかしこうした為政者に憲政史上最長の期間政権を担わせているのは私たち国民に他ならない。

自戒を込めて言うなれば、メディアもまたその片棒を担いでいると言っていい。まさしく「いつか来た道」の再訪である。権力者の側がメディア上層に直接圧力をかけ、報道内容を捩じ曲げるような局面はとっくに終わった。現状はむしろ、メディアの側が自らかしずき、おもねり、頭を下げ、言われもしないのに先回りし、お膳立てするという奇景が繰り広げられている。

「こんなことを書いたら、政府から文句がくるのではないか」と忖度し、記事内容が内部で捩じ曲げられていく。あるいは捩じ曲がる以前に、議論も理由もなく「今日、掲載（放映）するのはやめておこう」と言い出す人が出てくる。そうした異様さを目の当たりにして現場の記者もまた萎縮し、「あぁ、こういうネタは載らないいんだな」と慮り、出稿すらしなくなる。

何度でも、言わねばなるまい。「表現の自由」とは何なのか。「報道」とは何なのか。先の大戦では、国家の片棒を担ぎ、国土を焦土とした責任の一端を「報道」は負っている。それでもなお「国民の知る権利を付託されている」と自負するのであれば、もう一度、青臭くとも奮い立つしかあるまい。

「表現の自由」とはそもそも権力と対峙関係において最も発揮される権利である。したがって、権力への批判、批評、その前提となる権力の監視こそが、報道が担うべき最重要課題である。言葉を言い換えてごまかし、現実を捩じ曲げている権力者がのさばっているのであれば、「嘘をついている」と指弾しなければならない。

報道がこうして権力者への批判を展開したときに、必ず投げつけられるのが「公平・中立」なる言葉である。報道は公平・中立であるべきだ、だから「安倍政権批判一辺倒」の報道は偏っている、と。

改めて釘を刺しておこう。こうした言説は完全に倒錯している。報道に課せられた「公平・中立」あるいは「不偏・不党」の要請とは、過去の反省に基づく。つまり、「報道は、時の権力者におもねってはならない」「権力者の主張の側に偏ってはならない」という規範である。報道はもう一度、その立ち位置と役割を見つめ直さなければなるまい。

私たちは七五年前、焼け野原を前に再び立ち上がり、世界の先進国の列に名を連ねるまでに成長を遂げた。この間にも数々の失敗があった。長きにわたる平和な時代の裏側には、切っても切れない米国との同盟があった。いまこの国はまた再びの「敗戦」という大きな転換点を迎えようとしている。これは「戦後の過ち」を正す好機かもしれない。

時代がどう変わろうが試されているのはいつでも私たちの底力だ。自由と民主主義のために、何度だって立ち上がるしかない。

*

本書は、二〇一八年から二〇二〇年二月にかけて私が神奈川新聞に執筆、掲載した連載や企画をベースに加筆・修正、増補し再構成したものです。

発刊に当たっては、数多くの統計データや指数の分析について浜銀総合研究所の遠藤裕基さんから多大なる示唆をいただいた。ほかにも取材を通じて実に多くの方々から見識をいただくことでここに漕ぎ着けることができた。深くお礼を申し上げたい。また、発刊の企画を当初から快諾し、後押ししてくれた神奈川新聞社の懐の深さに謝意を表したい。個々の記事が新聞掲載される段階では経済部の原隆介デスク、報道部の田中大樹デスクを中心に多くの同僚記者、デスクが共に推敲を重ねてくれた。思い返せば胸が熱くなるばかりである。そして私にとって初の単著を刊行まで導いてくれた筑摩書房の伊藤笑子さんに感謝します。

二〇二〇年三月一七日

田崎　基

参考文献

青木理『日本会議の正体』（二〇一六年、平凡社）
明石順平『アベノミクスによろしく』（二〇一七年、集英社インターナショナル）
――『データが語る日本財政の未来』（二〇一九年、集英社インターナショナル）
井手英策『経済の時代の終焉』（二〇一五年、岩波書店）
――『分断社会を終わらせる――「だれもが受益者」という財政戦略』（古市将人、宮﨑雅人共著、二〇一六年、筑摩書房）
――『幸福の増税論――財政はだれのために』（二〇一八年、岩波書店）
金子勝『平成経済　衰退の本質』（二〇一九年、岩波書店）
木村草太『自衛隊と憲法――これからの改憲論議のために』（二〇一八年、晶文社）
――『「改憲」の論点』（共著、二〇一八年、集英社）
玄田有史編『人手不足なのになぜ賃金が上がらないのか』（二〇一七年、慶應義塾大学出版会）

白井聡『永続敗戦論――戦後日本の核心』（二〇一三年、太田出版）
――『国体論――菊と星条旗』（二〇一八年、集英社）
菅野完『日本会議の研究』（二〇一六年、扶桑社）
田岡俊次『日本の安全保障はここが間違っている！』（二〇一四年、朝日新聞出版）
俵義文『日本会議の全貌――知られざる巨大組織の実態』（二〇一六年、花伝社）
――『日本会議の野望――極右組織が目論む「この国のかたち」』（二〇一八年、花伝社）
服部茂幸『偽りの経済政策――格差と停滞のアベノミクス』（二〇一七年、岩波書店）

ちくま新書
1488

令和日本の敗戦
――虚構の経済と蹂躙の政治を暴く

二〇二〇年四月一〇日　第一刷発行

著　者　田崎　基（たさき・もとい）

発行者　喜入冬子

発行所　株式会社　筑摩書房
東京都台東区蔵前二-五-三　郵便番号一一一-八七五五
電話番号〇三-五六八七-二六〇一（代表）

装幀者　間村俊一

印刷・製本　三松堂印刷　株式会社

ISBN978-4-480-07306-8 C0236